かもめのジョナサン
【完成版】

Jonathan Livingston Seagull
The New Complete Edition

完成版への序文

リチャード・バック

この『かもめのジョナサン完成版』ではじめてお目見えする最終章Part Fourは、人によっては驚くべき物語だと感じて頂けるかもしれないが、作者にとってはそうでもない。

そもそも、創作の冒険は、どのように起きるのか？　自分の仕事に愛着を持つ作家ほど、「理由は説明できない魔法のようだ」としか言えないだろう。

想像力はまるで年齢に似合わず知恵深い青年みたいなものだ。心のどこかで、何かがささやく。何かが光あふれる世界についておだやかに語り始める。その世界で歓《よろこ》び、悩み、絶望し、やがて勝利するキャラクターについて語り、やがて物語は美しく締めくくられる。ただ、そこには言葉がない。説明も描写もセリフもない。そこで作家たちは、冒頭から大団円まで、自分のイメージに合う言葉を探し求める。アルファベット、ピリオド、コンマを並べていき、本は完成する。あとはスキー選手さながら書店の棚というスロープを滑降すればいいだけだ。最初に現れる物語は、組織だっておらず、ばらばらのものでしかない。それはわたしたちの胸底に沈む想像力から出た神秘の力で生み落とされたものだ。もともとの原因は何年も前から仕込まれており、それが未知の弓から放たれた矢のように、突然姿を現すのである。

　わたしにとって、小説とはいつもそういうふうに成り立っている。かつて、わたしが最終章であるPart Fourを書くのを止《や》めたのは、ジョナサンの物語はこれで終った、と感じたからだった。

　あの時もわたしはPart Fourを繰り返し読んだ。ジョナサンを慕うカモメたちが儀式ばり、頭でっかちになって、飛行の精神を形骸化《けいがいか》していくだって？　これは違う！

　しかし、Part Fourはそう告げている。わたしはこんな物語の結末を信じられなかった。わたしの考えていたことは、Part Threeまでで充分語りつくされていた。Part Four は要らない。喜びを絞殺するような不毛の空や卑《いや》しい言葉を、わざわざ印刷する必要はない。

　では、どうして焼き捨てなかったのか？

　わたしにもわからない。しかしともあれ、わたしは『かもめのジョナサン』の物語にこの結末が必要だとは信じられず、どこかへ置きっぱなしにした。わたしたちが選び取った自由な生き方が、やがて規則と儀式によって少しずつ殺されていく物語を、わたしは拒否したのだ。

　そして、半世紀ほどの歳月が過ぎた。

　妻のサブリナが、ごちゃごちゃの紙屑《かみくず》のあいだから、ぺちゃんこになった Part Four の原稿を引っ張り出してきたのは最近のことだ。

「これ、おぼえてる？」

「うーん」わたしは言った。「はて、どうかな」

　何段落かを読んでみた。「ああ、思い出したよ。これはね……」

「読んでみて」彼女は自分が発見して、心動かされたその骨董《こっとう》ものの原稿を笑顔で差し出してきた。

タイプの文字は消えかけていたが、言葉はわたしの精神のこだまであるように思われた。正確には、かつてのわたしの精神のこだま。これはわたしが書いたのではない。あいつが書いたのだ。あの時の、あいつが。

原稿を読み終った時、わたしはあいつの警告と希望の声を充分に聴いたと思った。

「おれが何をしたかくらい、わかってるさ！」とあいつは言った。「あんたのいる二十一世紀は、権威と儀式に取り囲まれてさ、革紐《かわひも》で自由を扼殺《やくさつ》しようとしている。あんたの世界は安全にはなるかもしれないけど、自由には決してならない。わかるかい？」そして、最後にこう言った。「おれの役割りは終った。次は、あんたの番だよ」

わたしはあいつの言葉について考えた。カモメたちは、世界の自由の終りを見たのか？

ついにあるべきところに置かれた最終章 Part Four は、そうは言わないだろう。誰も未来を知らなかった時に書かれたものなのだから。

しかし、いまわたしたちはその未来を知ってしまっているのである。

――二〇一三年春

われらすべての心に棲《す》む
かもめのジョナサンに

Contents

Part One

朝だ。

しずかな海に、みずみずしい太陽の光が金色にきらめきわたった。

岸からやや離れた沖合では、一隻《せき》の漁船が魚を集めるための餌《え》を海にまきはじめる。すると、それを横から失敬しようという〈朝食の集《つど》い〉の知らせが上空のカモメたちの間にすばやくひろがり、やがて押しよせてきた無数のカモメの群れが、飛びかいながらわれがちに食物のきれはしをついばみだす。今日もまたこうして、生きるためのあわただしい一日がはじまるのだ。

だが、その騒ぎをよそに、カモメのジョナサン・リヴィングストンは、ただ一羽、船からも岸からも遠くはなれて、練習に夢中になっていた。

空中約三十メートルの高さで、彼は水かきのついた両脚を下におろす。そして、くちばしを持ちあげ、両方の翼をひねるようにぎゅっとねじ曲げた無理なつらい姿勢を、懸命にたもとうとする。翼のカーヴがきつければきついほど低速で飛べるのだ。そして、いまや彼は、頬をなでる風の音が囁《ささや》くように低くなり、脚もとで海面が静止したかと見えるぎりぎりのところまでスピードを殺してゆく。極度の集中力を発揮して目をほそめ、息を凝らし、強引に……あと……ほんの……数センチだけ……翼のカーヴを増そうとする。その瞬間、羽毛が逆立ち、彼は失速して墜落した。

言うまでもない事だが、ふつうカモメというやつは空中でよろめいたり、失速したりするものではない。飛行中に失速するなどということは、彼らにとって面目を失うことであるだけでなく、恥ずべき行為ですらある。

ところがジョナサンは、恥ずかしげもなく飛びあがると、またもや翼を例の震えるほどのきついカーヴにたもち、ゆっくりと速度をおとしてゆくのだった。おそく、さらにおそく、なおもおそく——そして彼はふたたび失速し、海に落ちた。どう見てもこれは正気の沙汰《さた》ではない。

ほとんどのカモメは、飛ぶという行為をしごく簡単に考えていて、それ以上のことをあえて学ぼうなどとは思わないものである。つまり、どうやって岸から食物のあるところまでたどりつき、さらにまた岸へもどってくるか、それさえ判《わか》れば充分なのだ。すべてのカモメにとって、重要なのは飛ぶことではなく、食べることだった。だが、この風変りなカモメ、ジョナサン・リヴィングストンにとって重要なのは、食べることよりも飛ぶことそれ自体だったのだ。その他のどんなことよりも、彼は飛ぶことが好きだった。

そんなふうな考え方をしていると、仲間たちに妙な目で見られかねないことは彼も承知していた。なにしろ実の両親でさえも、彼が毎日のようにひとりきりで朝から晩まで何百回となく低空滑空をこころみ、実験をくり返すのを見ては、おろおろしている始末だったから。

　彼は実際、おかしな練習に熱中していた。たとえば、海面からの高さが自分の翼の長さの半分以下という超低空で飛んだりもするのだ。そうすると、なぜだか理由は判らないが高いところを飛ぶ時よりもかえって少い力ですみ、滞空時間も長くなるのである。また、彼が滑空を終えて着水するときには、両脚を海中に突っこみバシャンと水をはねあげる普通のやり方ではなく、両脚を胴体にぴったり流線型にくっつけたまま水面に接触するので、海面には長いきれいな航跡が残るのだった。そのうち、彼が脚をあげたままの恰好《かっこう》で浜辺に胴体着陸をおっぱじめたあげく、砂についた自分の滑りあとを歩測するような真似《まね》までやりだした時には、両親もさすがに呆《あき》れかえって、がっくりきたものだ。

「なぜなの、ジョン、一体どうして？」母親は息子にたずねた。「なぜあんたは群れの皆さんと同じように振舞えないの？　低空飛行なんて、そんなことペリカンやアホウドリたちにまかせておいたらどう？　それに、どうして餌《えさ》を食べないの？　あんたったら、まるで骨と羽根だけじゃないの」

「骨と羽根だけだって平気だよ、かあさん。ぼくは自分が空でやれる事はなにか、やれない事はなにかってことを知りたいだけなんだ。ただそれだけのことさ」

「いいかね、ジョナサン」と、説いてきかすような口調で父親が言った。

「まもなく冬がやってくる。漁船も少くなるだろうし、浅いところにいる魚もだんだん深く潜ってゆくようになるだろう。もしお前がなにがなんでも研究せにゃならんというんなら、それは食いもののことや、それを手に入れるやり方だ。もちろん、お前のその、飛行術とかいうやつも大いに結構だとも。しかしだな、わかっとるだろうが、空中滑走は腹の足しにはならん。そうだろ、え？　わたしらが飛ぶのは、食うためだ。ひとつ、そこんところを忘れんようにな。いいか」

　ジョナサンは素直にうなずいた。そしてそれからの数日、彼はほかのカモメたちと同じようにやってみようと頑張った。実際、彼はやっ

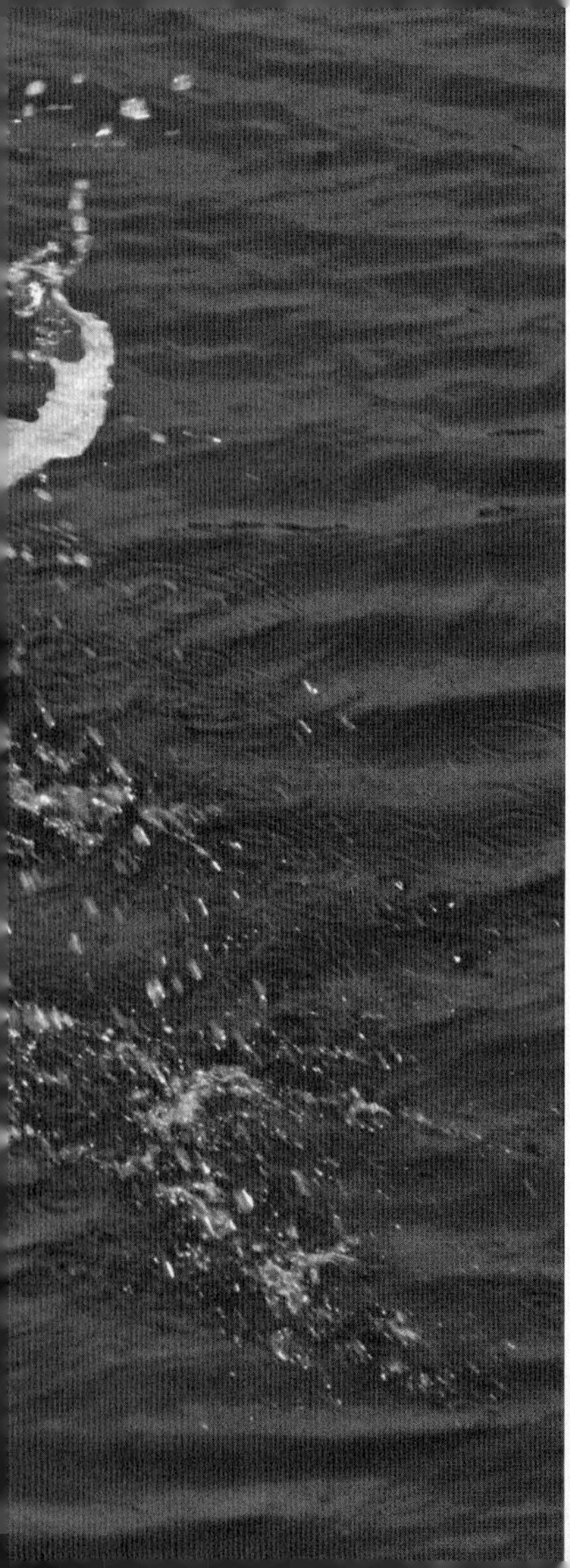

てみたのだ、桟橋や漁船の周囲を、群れの仲間たちと金切り声をたてて争いながら飛び回り、パンくずや魚の切れはしめがけて急降下したりしてやってみた。しかし、彼にはやはり無理だった。

こんなことが一体なにになるというんだ、と考えて、彼はやっと手に入れた小イワシを追いすがってくる腹ぺこの年寄りカモメにぽいと

落っことした。その気にさえなれば、こんなことをしている間に飛ぶことの研究がいくらでもできるんだ。おぼえなきゃいけないことは、それこそ山のようにあるというのに！

ジョナサンはふたたび群れを離れた。そしてただ一羽、はるかな遠い沖合で、飢えながらもしあわせな気持で、練習を再開した。

さしあたっての課題はスピードだった。だが一週間たらずの練習で、彼は世界でいちばん速いカモメよりももっと多くのことを、スピードに関して学び終えたのである。

彼は三百メートルの高さから、力のかぎり激しく羽ばたきながら波間めがけて猛烈な急降下をやってのけた。そしてその結果、どうして普通のカモメが強烈な加速急降下をやらかさないかという理由を知った。それをやるとわずか六秒後には、なんと時速百十数キロに達してしまうのである。そのスピードでは、翼を上にもちあげたとたんに、たちまち安定が失われるのだ。

なんども同じ事態が発生した。細心の注意をはらっているにもかかわらず、能力ぎりぎりの限界をきわめようとするために、高速時においてコントロールが失われるのである。

まず、三百メートルまで上昇。それから最初に全力水平直進。ついで羽ばたきながらの垂直急降下に移行。するとかならず左の翼を上にあおったところで動かなくなり、激しく左へ横転しようとする。そこで右の翼も上にもちあげ、たてなおしをはかる、と、稲妻のように一瞬はげしく右回りにきりもみ状態となって落下するのだ。彼はこれ以上慎重にできないくらい慎重に両の翼をあおってみた。だが十回ころみて、十回とも時速百十キロをこえたとたん、回転する羽毛の塊となり、コントロールを失ってまっさかさまに水面に激突してしまうのである。

この問題をとく鍵《かぎ》は——と、彼はびしょ濡《ぬ》れになりながら考えた。そう重要な点は高速降下の最中に翼をじっと動かさずにいることだ。そうだ、時速八十キロまでは羽ばたいても、それ以上になったときは、翼をぴたっと静止させてしまえばいい。

六百メートルの上空からふたたびやってみた。横転しながら降下にはいり、やがて時速八十キロを突破すると、彼はくちばしを真下に向け、翼をいっぱいにひろげたまま固定した。これにはものすごい力が必要だったが、効果は満点だった。十秒もすると時速百四十キロ以上に達し、頭がぼうっとなってきた。まさにその瞬間、彼、ジョナサン・リヴィングストンは、カモメの世界スピード記録を樹立していたのだ！

だがその勝利はつかの間のものだった。引き起こしにかかったその時、固定した両翼の角度を変えようとしたとたんに、彼は以前と同じあの危険な操縦不能の災難にまきこまれたのである。それは時速百四十キロというスピードのまっただなかで、ダイナマイトのような打撃を彼にあたえた。そしてジョナサンは破裂したようになり、煉瓦《れんが》同然の固い海面に激しく突っこんでいったのだ。

彼が意識をとりもどしたのは、日没後、かなりたってからのことだった。彼は月の光をあびながら、海上をゆらゆらと漂っていた。両の翼はまるで鉛の板みたいな感じだったが、それよりも、背中にのしかかってくる敗北感の重圧のほうがさらに重かった。彼は打ちひしがれた心で、いっそのことその重さが自分を海の底まで優しく引きずりこみ、それで何もかも万事終りということにしてくれたらどんなにいいだろう、と考えた。

やがて彼は水の中にどっぷりつかったまま、うつろに響く不思議な声を自分の内部に聞いた。どうしようもないことだ。お前は一羽のカモメにすぎない。もともとお前にできることには限りがあるのだ。もしもお前が飛ぶことに関して普通以上のことを学ぶように定められていたとしたら、目をつぶってでも正確に飛べるはずだぞ。それにお前がもっと速く飛ぶように生れついていたのなら、あのハヤブサみたいな短い翼をもち、魚のかわりに鼠《ねずみ》かなんか食って生きていたはずだ。お前の親父《おやじ》さんが正しかったのだ。馬鹿《ばか》なことは忘れるがいい。群れの仲間のところへ飛んで帰って、あるがままの自分に満足しなくちゃならん。能力に限りのある哀れなカモメとしての自分にな。

その声は次第に薄れていったが、ジョナサンはその通りだと思った。夜、カモメにふさわしい場所は岸辺なのだ。いま、この瞬間からおれはまともなカモメになってやるぞ、そう彼は心に誓った。そうすれば誰もかも、もっと幸せになれるんだ。

彼はやっとの思いで暗い水面から身をひき離し、陸地をめざして飛びはじめた。普通より楽な低空飛行法を身につけていたのが幸いだった。

しかし、すぐに、あ、こいつはまずい、と彼は思った。おれは今までの自分とは縁を切ったのだ、習いおぼえた飛び方とも全部おさらばだ。おれはほかのカモメたちと同じカモメなんだ、連中と同じように飛ばなくちゃならん。そして彼は苦痛に耐えながら三十メートルの高度まで上昇し、さらに激しく羽ばたきながら岸へ急いだ。

群れの中の平凡な一羽になろうと決心してしまうと、とてもくつろいだ気分になってきた。もうこれからは自分を飛行練習へ駆りたてた、あの盲目的な衝動からも解放され、二度と限界に挑戦したりすることも、失敗することもないだろう。こうして、しばらくの間、考えることをやめ、海岸にまたたく燈火《とうか》をめざして闇《やみ》の中を飛ぶのは素敵な気分だった。

闇《くら》いぞ！　そのとき例のうつろな声が警告を発した。ふつうのカモメは決して闇の中を飛んだりはしないぞ！

ジョナサンはぼんやりしていて、その声に気づかなかった。素敵だ、と彼はうっとりしていた。月も、遠くの燈火も、きらきらと海面に揺れて、夜の中にかすかな光の尾を投げかけている。すべてが平和で、静寂そのものだ……

降りるんだ！　またうつろな声が響いた。カモメは決して闇の中を飛んだりはしない！　もしお前が闇の中を飛ぶように生れついているのなら、フクロウのような目を持っているはずだぞ！　目をつぶってでも正確に飛べるはずだぞ！　そしてハヤブサの短い翼がそなわってるはずだぞ！

夜の中を三十メートルの高さで飛びながら、ジョナサンは突然まばたきをした。さっきまでの苦痛と決心とが、たちまち吹っとんだ。

短い翼だ。ハヤブサのあのつぼめた短い翼！

こいつが答だ！　おれはなんて馬鹿だったんだ！　必要なのは小さく短い翼だけなのだ。翼の大部分をたたみこみ、残された先端だけで飛ぶ！　短い翼！　それがすべてだ！

彼は暗黒の海上を一気に六百メートル駆けのぼった。そして翼を固く、胴体におしつけると、その翼の先だけを細い短剣の形をした後退翼そっくりに風の中に突きだし、失敗することも、死ぬことも全く考えるいとまもなく、いきなり垂直急降下に突入した。

風は怪物のような唸《うな》りをあげて、彼の頭上におそいかかった。時速百十キロから百四十キロへ、さらに百九十キロへ、そして速度はなおも上りつづけた。やがて時速は二百二十キロに達した。だがその速度でさえ、以前のやり方の百十キロの時よりはるかに楽だった。そしてほんの少し翼の先をひねると、急降下からやすやすと脱出でき、月下を飛ぶ灰色の弾丸さながらに波の上を突進してゆくのである。

目を細めて風に立ちむかいながら、彼は歓《よろこ》びに身を震わせた。時速二百二十四キロ！　それもコントロールをたもちながら！　もし六百メートルでなく千五百メートルから降下すれば、いったいどれ位のスピードが……

いまや、さっきの誓いのことなど、すさまじい風に吹きとばされ、忘れ去られてしまっていた。そして彼は自分できめた約束を破ってい
ながら、いっこうに悪いとは思っていなかった。ああいう約束は、世間一般の連中のものなんだ。真剣に学び、卓越した境地に達したカモメには、そんなたぐいの約束なんて必要じゃない。

朝日が昇るころには、ジョナサンは再び飛行練習にもどっていた。千五百メートルの高みから見おろすと、漁船はたいらな青い水面にちらばる小さな点にすぎず、例の〈朝食の集い〉に群れるカモメたちも、こまかな埃《ほこり》でできた靄《もや》となって眼下に渦まいているのだった。

彼は精気に満ち、歓びに身を小きざみに震わせながら、自分が恐怖

心に打ち勝っていることを誇らしく感じた。やがて彼は、むぞうさに翼をたたみこみ、角度をつけた短い翼の先をぴんと張ると、海面めがけてまっさかさまに突っこんでいった。千二百メートルを過ぎるころには、彼はすでに限界速度に達していた。風は、彼がもうそれ以上の速さでは進めないほどの、激しく打ちつける固い音の壁となった。いま、彼はまさに時速三百四十キロ以上で一直線に降下しつつあるのだ。もしこのスピードで両翼をひろげたら、たちまち爆発して何万というカモメの切れはしになってしまうだろう。それを考えて彼は思わず息をのんだ。だが、彼にとってスピードは力だった。スピードは歓びだった。そしてそれは純粋な美ですらあったのだ。

三百メートルの高さで彼は引き起こしを開始した。翼端はすさまじい風の中で鳴りひびき、感覚がにぶってきた。船とカモメの群れが流星のような速さで彼の進路にまっすぐ飛びこんできて、みるみるうちにふくれあがった。

彼は、それを止めることができなかった。その速度では、どうすれば方向転換ができるのか、皆目、見当がつかない。

激突すれば即死だ。

彼は目を閉じた。

そのとき何かがおこった。ちょうど朝日が昇りきった直後だった。ジョナサンは、〈朝食の集い〉に集ったカモメの群れのまん中を、弾丸のようにまっすぐ突き抜けていったのだ。時速三百四十キロのスピードで、目を閉じ、風と羽毛のまきおこす怒号のような金属音につつまれて。

幸運の女神が彼に微笑《ほほえ》んだのだろうか、一羽として死んだりはしなかった。

上昇にうつり、空にむかってくちばしがまっすぐ突き立つ頃になっても、彼は依然として時速二百五十キロでめちゃくちゃに飛んでいた。やがて三十キロにまでスピードを落とし、やっと翼をのばしきったときには、漁船は千二百メートル下の海面に浮ぶパンくずのようになっていた。

彼の考えが勝ったのだ。極限速度! 一羽のカモメが何と時速三百四十二キロに達したのだ。それはひとつの〈限界突破〉であり、群れの歴史上もっとも偉大な一瞬なのだった。そしてその一瞬こそジョナサンにとっての新たな時代の幕あきだったのである。

彼はすぐさま、ほかに誰ひとりいない自分だけの練習空域に飛んでいった。そして今度は二千四百メートルからの降下をめざして両翼を折りたたむと、さっそく方向転換の方法を探しはじめた。翼端の羽根を一枚だけわずかに動かすと、猛烈なスピードがでている時でも、なめらかなカーヴを描いて飛べることを彼は知った。しかしその事を発見する前に、そのスピードでほかの羽根をちょっとでも動かせばたちまちライフルの弾丸のようにきりもみ状態で墜落することを、彼は身をもって知らねばならなかった。だが、その結果、ついにジョナサンは、カモメ史上初の曲技飛行の第一人者となったのだ。

彼はほかのカモメたちと話をする間も惜しんで、日没後も飛びつづけた。そして彼はついに、宙返り、緩横転、分割横転、背面きりもみ、逆落し、大車輪、など数多くの高等飛行技術を発見したのである。

ジョナサンが岸にいる群れのところにもどった時には、夜もすっかりふけていた。彼は疲れはてており、目まいがするほどだった。だが、心にあふれる歓びをおさえかねた彼は、着地寸前に急横転を加えた宙返り着陸をやってのけた。みんながこのことを聞いたら、と彼は考えた。おれのこの〈限界突破〉のことを聞いたらきっと大騒ぎして歓ぶぞ。いまやどれほど豊かな意義が生活にあたえられたことか！　漁船と岸との間をよたよたと行きつもどりつする代りに、生きる目的がうまれたのだ！　われわれは無知から抜け出して自己を向上させることもできるし、知性と特殊技術をそなえた高等生物なのだと自認することも可能なのだ！　われわれは自由になれる！　いかに飛ぶかを学ぶことができる！

彼の心にうかぶ未来の日々は、希望にあふれて明るく輝いていた。

彼が降りたったとき、群れのカモメたちは〈評議集会〉の隊形をと

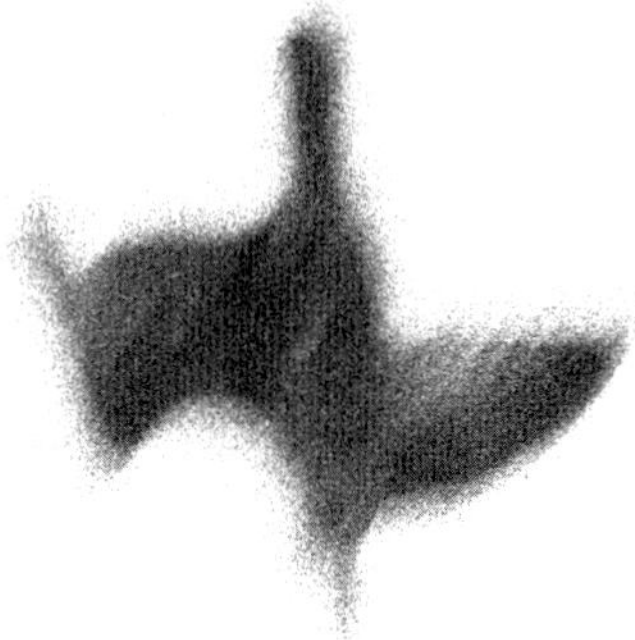

っていた。どうやらだいぶ前からそういうふうにして集まっていたらしい。事実、みんなは待っていたのだ。

「ジョナサン・リヴィングストン！　中央に進み出よ」

長老カモメの言葉は、最高に儀式ばった調子だった。中央に進むということは、大変な不名誉か、それとも非常な栄誉かのどちらかを意味する。栄誉を受けるために中央に進み出るのは、カモメの最高幹部が任命される時のしきたりなのだ。もちろん今朝の〈朝食の集い〉の時のことだな、と、彼は考えた。みんなはあの時のおれの〈限界突破〉を見たんだ！　でも、と彼は思った。おれは栄誉なんか欲しくはない。幹部になろうなどとも考えてはいない。おれはただ、自分の発見したことを皆とわかちあい、われわれ全員の前途にひらけているあの無限の地平を皆に見せてやりたいだけなのだ。

彼は前に進み出た。

「ジョナサン・リヴィングストン」長老が言った。

「不名誉のかどにより中央に進み出よ。汝《なんじ》の同胞《はらから》たちの面前にだ」

板きれでぶんなぐられたような感じだった。膝《ひざ》の力がぬけ、羽毛はぐったりとなえて、激しく耳鳴りがした。不名誉のかどで中央に？ そんな馬鹿な！ 〈限界突破〉なんだぞ！ 連中にはわからないのか！ やつらが間違ってる、こいつらの間違いだ！

「……思慮を欠いた無責任な行為のゆえに」

抑揚をつけたおごそかな声がとぎれとぎれにきこえた。

「汝はカモメ一族の尊厳と伝統を汚《けが》した……」

不名誉のかどで中央に引き出されることは、カモメの社会から追放され、〈遥《はる》かなる崖《がけ》〉での一人暮しの流刑《るけい》に処せられることを意味していた。

「……ジョナサン・リヴィングストンよ、汝もやがてはさとるであろう、無責任な行いが割りにあわぬものだということを。われらの生は不可知にして、かつはかり知れざるものである。わかっていることはただわれらが餌を食べ、そしてあたうる限り生きながらえるべくこの世に生をうけたということのみなのだ」

〈評議集会〉では決して言葉を返してはならないのだが、思わずジョナサンは声をあげた。

「無責任ですって？」彼は叫んだ。

「聞いてください、みなさん！　生きることの意味や、生活のもっと高い目的を発見してそれを行う、そのようなカモメこそ最も責任感の強いカモメじゃありませんか？　千年もの間、われわれは魚の頭を追いかけ回して暮してきた。しかし、いまやわれわれは生きる目的を持つにいたったのです。学ぶこと、発見すること、そして自由になることがそれだ！　ぼくに一回だけチャンスをください。ぼくの発見したことを皆さんの前に披露する、その機会を一度だけあたえて欲しいのです」

カモメの群れは石のように沈黙したままだった。

「同胞の絆《きずな》は切れた」

カモメたちは互いに呟《つぶや》きあった。そして一斉にもったいぶったしぐさで耳をふさぐと、彼に背をむけた。

ジョナサンは、その日からずっと、残された生涯をひとりで過ごすこととなった。だが、彼は流刑の場所、〈遥かなる崖〉にとどまらずに、さらにずっと遠くまで飛んでいった。彼のただひとつの悲しみは、孤独ではなく、輝かしい飛行への道が目前にひろがっているのに、そのことを仲間たちが信じようとしなかったことだった。彼らが目をつぶったまま、それを見ようとしなかったことだった。

しかし彼はそのような日々の間に、つぎつぎと新しいことを学んでいった。彼は流線型の高速降下によって、海面の三メートルも下を群遊するめずらしい魚を発見できることを知った。もはや、生き残るために漁船や腐りかけたパンくずは必要ではなかった。

沖合へ吹く風を利用する夜間飛行のコースを定めて、日没から日の出までに百六十キロの旅を行いながら空中で眠ることも、彼は習得した。それは単に肉体的な技術ではなく、彼自身の精神力をコントロールすることによって可能となったのである。さらに彼はその方法をもちいて、昔の仲間のカモメたち全員が靄や雨にとじこめられて地上にじっとうずくまっているような時にも、海上の濃霧を突破し、その上の目がくらむほど晴れた空へ昇っていった。さらに彼は、強風に乗って内陸深くまで飛び、そこでうまい昆虫《こんちゅう》を食べることをもおぼえた。

以前は仲間全部のために探し求めていたことを、彼はいま、自分ひとりのために手に入れたのだった。さらに彼は飛行のさまざまな方法を身につけた。そのために払った代価を、彼はすこしも惜しいとは思っていなかった。やがてジョナサンは、カモメの一生があんなに短いのは、退屈と、恐怖と、怒りのせいだということを発見するにいたった。そして、その三つのものが彼の心から消えうせてしまったのち、彼は実に長くて素晴らしい生涯を送ることとなった。

年月が流れ、そして或《あ》る日の夕方、彼らがやってきた。彼らはジョ

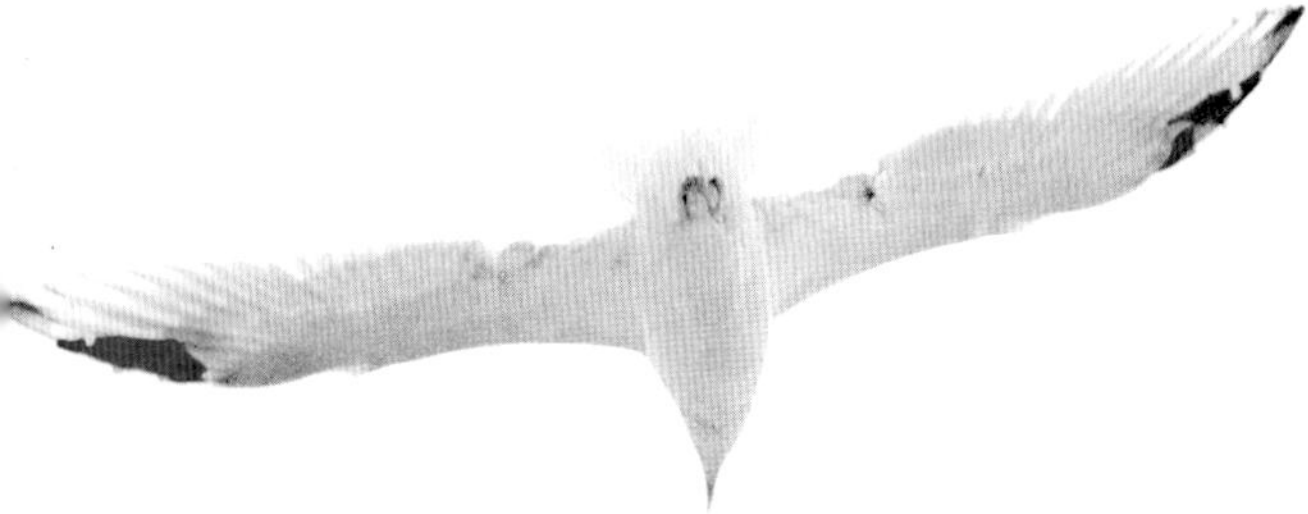

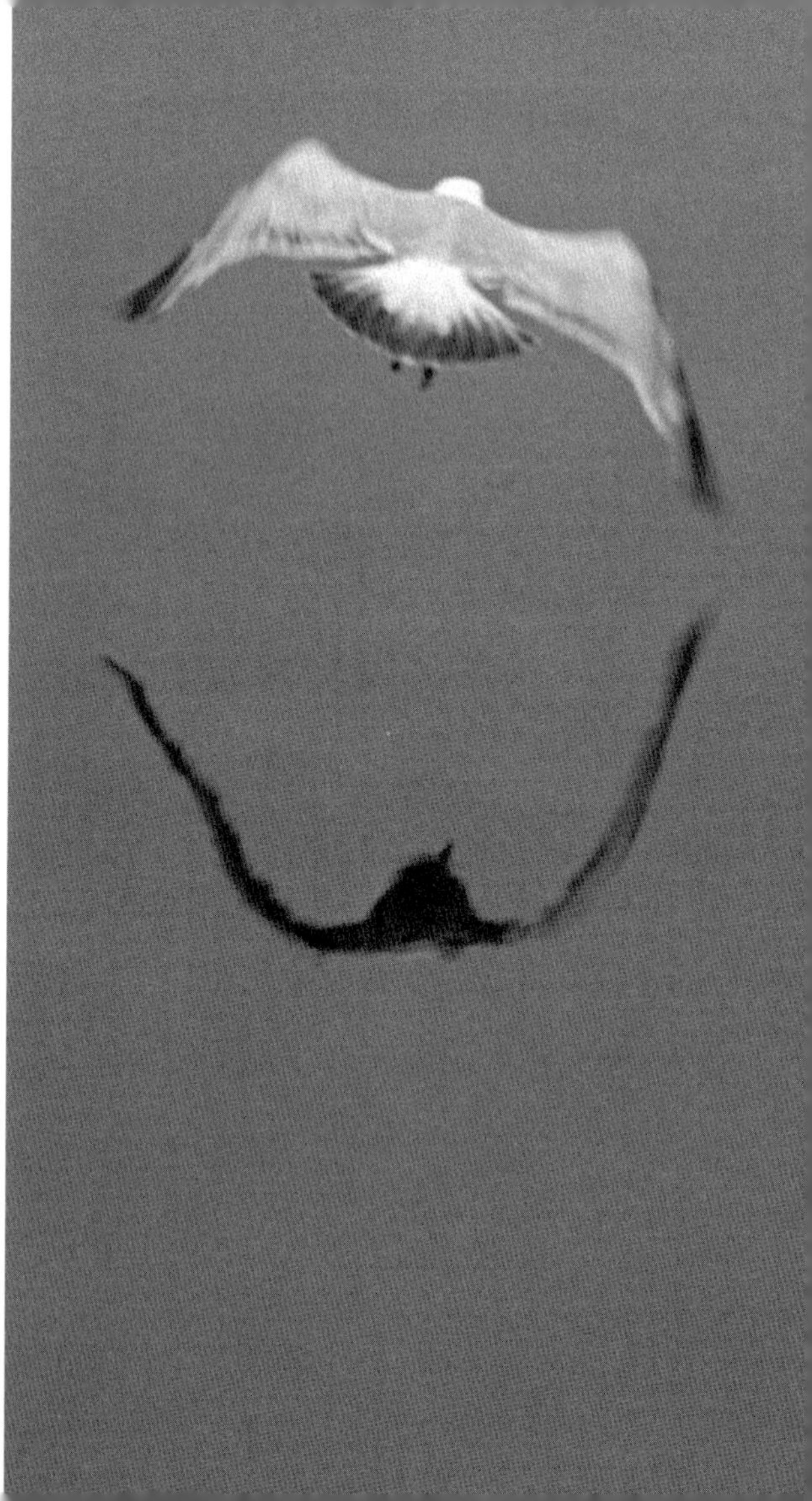

ナサンがただひとり、愛する空を静かに滑空しているのを発見して近づいてきたのである。ジョナサンの両翼のところに現われたその二羽のカモメは、星の光のように清らかで、夜空の高みに優しく心をなごませるような輝きをはなっていた。しかし、なによりもまず素晴らしいのは、彼らの飛行技術だった。二羽の翼の先端は、ジョナサンの翼の先からかっきり二センチはなれた位置を終始たもって滑ってゆくのである。

ジョナサンは無言のまま、彼らをためしてみた。これまでかつて合格したもののないテストだった。彼は両翼をひねって、失速寸前の時速一・六キロに速度をおとした。まばゆく輝く二羽の鳥は、彼にあわせてスピードをおとし、スムーズに所定の位置におさまった。彼らは低速飛行法を心得ていたのだ。

ジョナサンは両翼をたたんで横転し、時速三百キロの急降下へ突入した。二羽は彼にあわせ、完璧《かんぺき》な編隊を組んで稲妻のように降下した。

ついに彼はその速度をたもったまま、いきなり上昇し、長い垂直緩横転にうつった。二羽も彼にならって、微笑みさえうかべながら一緒に横転した。

ジョナサンは水平飛行にもどった。そしてしばらく黙っていたが、やがて口をひらいた。

「大したものだ」と彼は言った。「ところで、あなたがたは?」

「あなたと同じ群れの者だよ、ジョナサン。わたしたちはあなたの兄弟なのだ」

その言葉は力強く、落着きがあった。

「わたしたちは、あなたをもっと高いところへ、あなたの本当のふるさとへ連れて行くためにやってきたのだ」

「ふるさとなどわたしにはない。仲間もいはしない。わたしは追放されたんだ。それにわれわれはいま、〈聖なる山の風〉の最も高いところに乗って飛んでいるが、わたしにはもうこれ以上数百メートルだってこの老いぼれた体を持ちあげることはできないだろう」

「それができるのだ、ジョナサン。あなたは飛ぶことを学んだじゃないか。この教程は終ったのだ。新しい教程にとりかかる時がきたのだよ」

これまでいつも彼の頭の中には何かが瞬間的にひらめくことがよくあったが、この時もジョナサンは即座にさとった。彼らの言うことは正しい。自分はもっと高く飛ぶことができる。自分の真のふるさとへ行くべき時がきたのだ。

彼は最後の長い一瞥を、そこで自分が多くのことを学んだ空と銀色の壮麗な陸地へ投げかけた。

「よし、行こう」ついに彼は言った。

そして、ジョナサン・リヴィングストンは、星のように輝く二羽のカモメとともに高く昇ってゆき、やがて暗黒の空のかなたへと消えていった。

Part Two

ふーむ、するとこれが天国というやつか、なるほど、と彼は考え、それからそんな自分に思わず苦笑した。いきなり駆けあがってきて、はいりこんだとたんに天国をどうこう言ったりするのは、あまり礼儀にかなったことではあるまい。

彼はいま地上から雲の上へと、光り輝くカモメたちとしっかり編隊を組んでのぼってきたのだが、ふと気がつくと彼自身の体もほかの二羽と同じようにしだいに輝きはじめていた。

まさしくそこには、金色の目を光らせながらひたむきに生きていた、あの若きジョナサンの姿があった。もっとも外見はすっかり変ってしまってはいたけれども。

姿はカモメのかたちをしているようだが、飛び方はちがう。すでに以前の彼よりもはるかに見事に飛べるようになっていた。

なぜだろう！　なぜ半分ぐらいしか力をだしていないのに、地上での自分の全盛時代よりも倍も速く、はるかに鮮かに飛べるのか！

彼の羽毛はいま純白にきらめきはじめ、両の翼は磨いた銀の薄板のようになめらかで、完璧《かんぺき》なものとなった。彼は胸をおどらせながら、この新しい翼をどう扱えばよいか、どうすれば加速することができるかを研究しはじめた。

時速四百キロに達すると、彼はどうやら自分が水平飛行の限界速度に近づいてきたらしいことを感じた。そして四百四十キロほどに達すると、それが新しい自分のだせるぎりぎりの速さなのだと知って、ほんの少しだけがっかりした。この新しい肉体がだせるスピードには、やはり限界があったのだ。過去の水平飛行時の最高記録をはるかに上回っているとはいえ、依然としてそこには限界があり、それを突破するには巨大な努力を必要とするらしい。天国には限界などあるはずはない、と思っていたのに。

そのとき不意に雲が切れ、介添役のカモメが声をかけた。

「さようなら、ジョナサン」

そう告げると、彼らはふっとかき消すように見えなくなった。

彼は海をこえ、入りくんだ海岸線へむけて飛びつづけた。なぜか、崖《がけ》の上で上昇気流にのって飛んでいるカモメには、ほとんどお目にかからない。はるか北のほう、水平線の果てのあたりにわずかに何羽かが飛んでいるだけだ。

ふしぎな眺めだった。思いもよらぬ考えが心を乱し、あらたな疑問が湧《わ》きあがった。なぜこんなにカモメが少いのだろう？　天国にはカモメが群れつどっているはずじゃないか！　それにしても、どうしてこうおれはすぐに疲れてしまうのだ？　天国にきたカモメは、決して疲れたり、眠ったりはしないはずなのに！

しかし、どこでそんな話を聞いたんだったかな？　地上での生活の記憶は、ほとんど消えかけていた。無論、地上は彼がいろんなことを学んできた場所ではあったが、こまかい点はぽうっとかすんでしまっている。なにやら餌《えさ》を奪いあって争ったことや、追放のうきめにあったことなども……

十二羽のカモメが海岸線のところまで彼を出迎えに現われた。どのカモメも無言のままだった。だが、彼は自分が歓迎されているらしいこと、そしてここそが自分の本当のふるさとなのだということをすぐに感じとった。

それは実に大変な一日だった。その朝、いつごろ日が昇ったかさえも、もはや思いだせないほどだった。

彼は海岸への着陸体勢にうつった。羽ばたきながら地上数センチのところで停止し、それからふわりと砂地に降り立った。ほかのカモメたちも続いて着陸したが、彼らのほうは一羽として羽根一枚ばたつかせたりなんぞしなかった。彼らは流れるように楽々と風に乗り、輝く翼をひろげると、なんらかの方法で羽根のカーヴの角度を変えて足が地面につくと同時に停止したのである。実に見事なコントロールだったが、いまのジョナサンはただただ疲れきっていて、それをためしてみるのは無理だった。彼は海岸のその場所に立ったまま、ひとことも発せず、そのまま眠りこんでしまった。

それから数日の間に、ジョナサンは、ここには飛行に関して学ぶべきことが、これまでの彼の一生にあったのと同じほど多くあることを知らされた。しかし、それは今までのものとは違う事柄だ。ここには彼と同じ考えを持つカモメたちがいた。彼らの一羽一羽にとって、生活の中で最も重要なことは、自分が一番やってみたいことを追求し、その完成の域に達することだ。そしてそれは空を飛ぶことだった。

彼らは全員、まさに素晴らしい鳥たちだった。そして毎日、何時間となく飛行の練習をつづけ、さらに進んだ高等飛行法のテストをくり返してすごすのである。

ジョナサンは長い間、自分が後にしてきた世界のことを忘れてしまっていた。それは群れのカモメたちが飛ぶことの歓《よろこ》びにかたくなに目を閉じて、その翼を、食い物をみつけそれを奪いあうためだけにしか使わずに生きている世界である。しかし、ときにはほんの一瞬のことではあったが、その世界のことが心をかすめることもあった。

　ある朝、翼をたたんだままの急横転の教習を終え、海岸で休んでいる時のことだった。彼は教官のサリヴァンとやや離れたところにいたのだが、ふと昔のことを思い出した。

「みんなはどこにいるんです、サリヴァン？」彼は無言のままたずねた。すでに彼は、ギャアギャアいう耳ざわりなカモメ語のかわりに、ここのカモメたちが使う簡単な心の対話法をすっかり身につけていたのである。

「なぜここには仲間がこんなに少いんです？　だってわたしの育った所には……」

「……何千何万というカモメがいるのに、かね。わかってるとも」

　サリヴァンは首をふった。

「こういうことだよ、ジョナサン。それはだな、つまりきみがおそらく百万羽に一羽という、めったにいない鳥だってことさ。ここにいるほとんどの連中は、えらく長い時間をかけてここへやってきたのだよ。

一つの世界から、それと大して変りばえのしないもう一つの世界へと徐々に移ってきたんだ。そして自分らがどこからきたかということもすぐに忘れ、これから先どこへ向っていくのかさえ考えずに、ただその時だけの事を考えて生きてきた。人生には、食うことや、争うことや、権力を奪いあったりすることなどより、はるかに大事なことがあったんだと、そうはじめて気づくようになるまでに、カモメたちはどれだけ永い歳月を経てこなければならなかったことか。きみにはそれがわかるかね？　何千年という年月だよ、そう、何万年という年月さ！　そしてさらに、この世には完全無欠といえるような至福の状態が存在するのだと知りはじめるまでに、さらに百年の歳月がかかり、そしてついにわれわれの生の目的がその完全なるものを見いだし、それを身をもって示すことだと考えつくまでには、さらにもう百年が必要だったんだ。もちろん、同じことが今のわれわれにも言えるだろう。わたしたちはここで学んでいることを通じて、つぎの新しい世界を選びとるのだ。もしここで何も学びとることがなかったなら、次の世界もここと同じことになる。それはつまり、乗り越えなきゃならん限界、はねのけるべき鉛の重荷が、もとのままに残ってしまうことなんだ」

彼は翼をひろげ、顔を風上に向けた。

「しかし、ジョン、きみはだな――」と彼は言った。

「おそろしく沢山のことを一ぺんに学んでしまったんだ。だからここへやってくるのに何千年もかけなくてすんだのさ」

彼らはすぐにまた空に舞いあがり、訓練を開始した。編隊を組んだままでの分割横転はきわめて難しかった。というのは裏返しになっている間、ジョナサンは上下の観念を逆にしなければならなかったからである。つまり、翼を曲げるにも普通とは反対にし、教官の動きに対応して正確に逆の動きをやってのける必要があったのだ。

「もう一度やろう」サリヴァンは何度もくり返した。「もう一度」と。

それからついに言った。「よし」

そのあと彼らは逆宙返りの訓練にとりかかった。

或《あ》る日の暮れ方のことだった。夜間飛行をしないカモメたちは、砂地にかたまって思索にふけっていた。ジョナサンは、ありったけの勇気をふるいおこして長老のカモメに近づいていった。それは噂《うわさ》によると、もうすぐここを離れて、もうひとつ上の世界へ移ってゆくことになっているらしい張《チャン》という名のカモメである。

「チャン……」と彼はおどおどした口調で呼びかけた。

老いたカモメは、優しく彼を眺めた。

「なにかな」

この長老は年をかさねるにつれておいぼれるどころか、かえって高い能力をさずけられていた。彼は群れのどのカモメよりも速く飛べたし、ほかの連中がやっとおぼえはじめたばかりの技術を、すでに自分のものにしてしまっていたのだ。

「チャン、ここは天国なんかじゃありませんね。そうでしょう?」

長老は月光の中で微笑した。

「かなりわかってきたようだな、ジョナサン」

「うかがいたいんですが、いまの生活のあとにはいったい何がおこるのでしょうか？　そして、わたしたちはどこへ行くのでしょう？　そもそも天国などというものは、本当はどこにもないんじゃありませんか？」

「その通りだ、ジョナサン、そんなところなどありはせぬ。天国とは、場所ではない。時間でもない。天国とはすなわち、完全なる境地のことなのだから」

彼は一瞬だまりこんでから、たずねた。

「お前はえらく速く飛べるらしいな、え？」

「わたしは……わたしはただスピードが好きなんです」ジョナサンは答えた。長老がそのことに気づいていてくれていたことにびっくりもしたが、また誇らしい気持でもあった。

「よいか、ジョナサン、お前が真に完全なるスピードに達しえた時には、お前はまさに天国にとどこうとしておるのだ。そして完全なるスピードというものは、時速千キロで飛ぶことでも、百万キロで飛ぶことでも、また光の速さで飛ぶことでもない。なぜかといえば、どんなに数字が大きくなってもそこには限りがあるからだ。だが、完全なるものは、限界をもたぬ。完全なるスピードとは、よいか、それはすなわち、即《そく》そこに在《あ》る、ということなのだ」

不意にチャンの姿が消えたかと思うと、突然、十五メートルほどはなれた水際《みずぎわ》にあらわれた。閃光《せんこう》のような一瞬のできごとだった。そしてふたたび彼の姿は消え、前と同じ千分の一秒のうちにジョナサンと肩を並べて立っていた。

「どうだ、面白いだろう」と彼は言った。

ジョナサンは目まいをおぼえた。天国のことをきくつもりが、すっかり忘れてしまっていた。

「一体どうやればあんなことができるんです？　どんな気持がするんでしょうか？　あのやり方で、どれくらい遠くまで行けるのでしょう？」

「どこへでも、いつでも望むままにだ」長老は言った。

「わしは自分で思いつく限り、すべての場所へ、あらゆる時に行ってみたものだよ」

彼は海のむこうを眺めやった。

「妙なものだな。移動することしか念頭になく、完全なるもののことなど軽蔑《けいべつ》しておるカモメどもは、のろまで、どこへも行けぬ。完全なるものを求めるがゆえに移動することなど気にかけぬ者たちが、あっという間にどこへでも行く。おぼえておくがよい、ジョナサン、天国とは、場所でもない、時間でもない。というのは、場所や時間自体は、そもそも何の意味ももたぬものだからだ。天国とはだ、それはすなわち……」

「さっきみたいに飛ぶやり方を教えていただけませんか?」ジョナサンは、もう一つの未知の世界を征服することを考えて身を震わせた。

「いいとも。お前が教わりたいというのならな」

「おねがいです。いつからはじめてくださいますか?」

「そちらさえその気なら、今からでも」

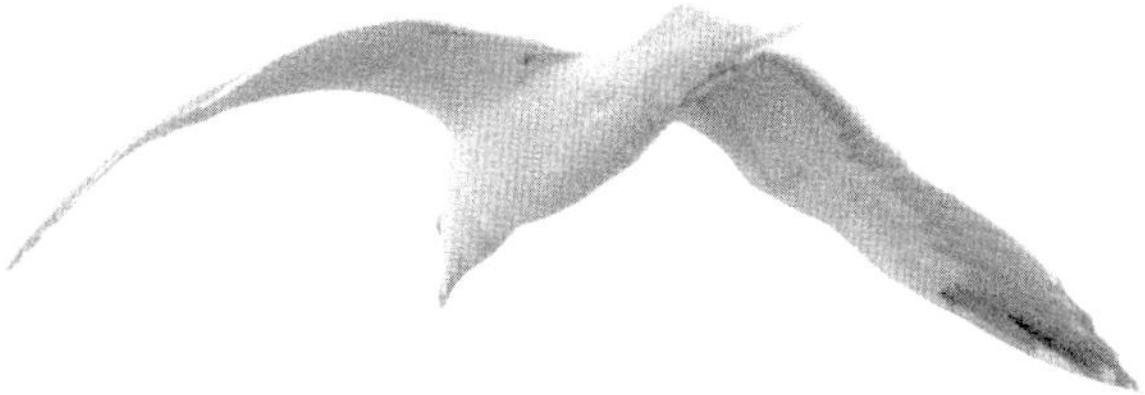

「あんなふうに飛べるようになりたいのです」ジョナサンは言った。異様な光が彼の目の中に燃えあがった。

「言ってください、どうすればいいのかを」

チャンはゆっくりと話し、自分より若いカモメをじっと注意ぶかくみつめた。

「思った瞬間にそこへ飛んでゆくためには、ということはつまり、いかなるところへでも飛ぶということになるのだが、それには……」と彼は言った。

「まず、自分はすでにもうそこに到達しているのだ、ということを知ることから始めなくてはならない……」

チャンの語るところによれば、瞬間移動の秘訣《ひけつ》は、まずジョナサン自身が自分のことを、限られた能力しかもたぬ肉体の中にとじこめられている哀れな存在と考えるのをやめることにあった。たかだか一メートルあまりの翼長と、せいぜい航空図に書きこめる程度の飛翔力《ひしょうりょく》しか持たぬカモメの肉体に心をとらわれるな、というのである。そしてさらに本来の自己は、まだ書かれていない数字が限界をもたぬごとくに、限りなく完全なるものであり、時間と空間を超えて、いかなる場所にも直ちに到達しうるのだと知れ、とチャンは説くのだった。


ジョナサンはくる日もくる日も日の出前から真夜中すぎまで、猛烈にがんばりつづけた。そしてあらゆる努力を惜しまなかったにもかかわらず、彼は立っている地点から毛一筋ほども移動できなかった。

「神がかりになることはない！」とチャンは言い、そのことを何度もくり返した。

「飛ぶために信心《しんじん》はいらなかったはずだ。これまでのお前に必要だったのは、飛ぶということを理解することだったではないか。こんども全くそれと同じことなのだ。さあ、ではもう一度やってみるがよい」

そして或る日のこと、ジョナサンが目を閉じ、精神を集中してなぎさに立っていると、不意になにかが心にひらめき、彼はこれまでチャンが何を言いつづけてきたかを一瞬のうちにさとった。

「そうだ、本当だ！　おれは完全なカモメ、無限の可能性をもったカモメとしてここに在る！」

彼は激しい衝撃のような歓びをおぼえた。

「いいぞ！」チャンは言った。その声には何かをなしとげた明るさがあった。

ジョナサンは目をあけた。彼は長老と二人だけで、さっきまでとはまるで違った海岸に立っていた。森は波打際まで迫っており、二つの黄色い太陽が頭上をめぐっている。

「ついに会得《えとく》したな」チャンが言った。

「だが、もう少しコントロールの研究をする必要がありそうだ……」

ジョナサンは肝《きも》をつぶした。

「いったい、ここはどこです？」

あたりの不思議な光景には何の関心も示さず、長老は彼の質問をあっさり片付けた。

「われわれはどこかの惑星にいる。みどり色の空、太陽にかわる双子星、まちがいない」

ジョナサンはけたたましい歓喜の叫び声をたてた。それは彼が地上を後にして以来、はじめて発した声だった。

「やったぞ！」

「そうとも、もちろんお前はやりおおせたのだよ、ジョン」チャンが言った。

「お前が自分のしていることを本当に知りさえすれば、いつでもできるのだ。さて、それでは次はコントロールの問題だが……」

彼らが帰ってきた時には、もう日が暮れていた。ほかのカモメたちは、その金色の目に畏敬《いけい》の色をうかべてジョナサンをみつめた。彼らはジョナサンが、あんなにも長い間、根をはやしたように釘《くぎ》づけになっていた場所から、かき消すようにいなくなった様子を目撃していたのである。

彼は仲間の祝福の言葉が重荷で、一分も耐えられなかった。

「わたしはここでは新参者なんです。やっと勉強をはじめたばかりです！　わたしのほうこそあなたがたから教わらなければならないのに！」

「そいつはどうかな」と、そばにいたサリヴァンが言った。

「ジョン、きみみたいに学ぶことをおそれないカモメに、わたしは過去一万年のあいだ出会ったことがないぜ」

皆がしんとなり、ジョナサンは身のおき場がなくてもじもじした。

「お前が望むならば、時間のほうの研究をはじめてもよい」チャンが言った。

「そうすれば、お前は過去と未来を自由に飛行できるようになる。そしてそこまでゆけば、お前は最も困難で、最も力強く、かつ最もよろこばしい事柄のすべてと取り組む用意ができたといえるだろう。そしてお前はそのとき、より高く飛びはじめ、また優しさと愛との真の意味を知りはじめる用意ができたことになるのだ」

そして、ひと月が過ぎた、いや、ひと月と感じられただけかもしれない。ジョナサンは素晴らしい早さで学んでいった。彼はこれまでいつも日常の何でもない些細《ささい》な経験から、いろんな事を素早く学びとってきていたが、いまや長老みずからの特別指導をうける身となってからは、彼はまるで羽根のはえた流線型のコンピューターさながらに新しい思考をたちまち吸収していったのである。

しかし、やがてチャンが姿を消すその日がやってきた。彼はものしずかに皆に語りかけた。すべての生活の隠された完全な原理をすこしでも深く理解するために、研究と練習と努力とを決して途中でやめてはならぬ、と彼は熱心に説いてきかせた。やがて語るにつれて、彼の羽毛はしだいに輝きをまし、ついに誰も彼を見ていられないほど眩《まぶ》しくなっていった。

「ジョナサンよ」と彼は言った。それが彼の最後の言葉だった。

「もっと他人を愛することを学ぶことだ。よいか」

彼らがふたたび目が見えるようになった時、もうチャンはいなくなっていた。

日がたつにつれ、ジョナサンは自分がときどき、おきざりにしてきた地上のことを思い返していることがあるのに気がついた。もしも彼がここで知りえたことの十分の一、いや百分の一でも、むこうにいるときに知っていたとしたなら、あちらの生活はどれほど豊かなものになっていたことだろう！　彼は砂浜に立ち、物思いにふけりだした。むこうにも、自分の限界を突破しようと苦闘しているカモメがいるのではなかろうか。飛行を、手漕《てこ》ぎボートからでるパンの耳を手にいれるための移動手段としてのみ考えるのではなく、飛ぶことの本当の意義を知ろうと苦闘しているような、そんなカモメがいるのではなかろうか。もしかすると、群れの前で自分が知った真実を語ったために追放されたカモメだっているのかもしれぬ。

優しさについて学べば学ぶほど、また、愛の意味を知ろうとつとめればつとめるほど、ジョナサンは、一層、地上へ帰りたいという思いに駆られた。それというのも、ジョナサンは、これまで孤独な生き方をしてきたにもかかわらず、生れながらにして教師たるべく運命づけられていたからだし、また、独力で真実を発見しようとチャンスをさがしているカモメに対して、すでに自分が見いだした真実の何分の一かでもわかち与えるということこそ、自分の愛を証明する彼なりのやり方のように思えたからである。

いまではすでに思念速度で飛ぶことにも熟達して、ほかのカモメたちの学習の手助けをしているサリヴァンは、そんなジョナサンの様子を気遣って言った。

「ジョン、きみはいちど追放されたカモメなんだぜ。昔の仲間たちが、今さらきみの言うことなんか聞くはずがないじゃないか。例の諺《ことわざ》を知ってるだろう。あれは本当のことさ。〈最も高く飛ぶカモメは最も遠くまで見通す〉というやつだ。きみの古巣にいるカモメたちは、地面の上でギャアギャア仲間げんかばかりやっている。連中は天国から何千キロも離れたところにいるんだ。それだのにきみは、やつらをそこに立たせたまま、天国を見せてやりたいっていうんだからなあ！　ジョン、彼らには自分の翼の先っぽだって見えないんだよ！　ここにいたまえ。そして新入りのカモメたちを助けてやりたまえ。彼らはすでにちゃんと高いところにいるんだから、きみの伝えなきゃならないことを充分理解できるはずだぜ」ちょっと黙りこんだ後で、彼は言葉をついだ。

「もしあのチャンが、彼が通りぬけてきた過去の世界へ帰っていってしまい、ここで皆を教えることをやめていたとしたらどうだったと思う？　はたして現在のきみはありえただろうか？」

この最後の指摘は身にこたえた。まさにサリヴァンの言う通りだった。最も高く飛ぶカモメが最も遠くを見通せるのだ。

ジョナサンはそこにとどまって、やってくる新入りのカモメの手助けにはげんだ。彼らはみな、実に聡明《そうめい》で、授業の内容を素早く理解した。しかしジョナサンの心には、また以前の感情がよみがえってきた。あの地上にだって学習する能力のあるカモメが、一羽や二羽いるかもしれないじゃないか、と彼は思うのだった。もしチャンが、自分が追放されたあの日に彼のところへ来てくれていたとしたら、自分は今までにどれほど多くのことを身につけることができていたことだろう！

「サリー、わたしは帰らなくちゃならん」ジョナサンはついに言った。「きみの生徒たちは、とてもうまくやってるよ。彼らはきみの新人教育を充分手伝えるさ」

サリヴァンはため息をついた。だが議論ははじめなかった。

「きみがいなくなれば淋《さび》しくなるだろうな、ジョナサン」彼が言ったのはそれだけだった。

「みっともないぞ、サリー！」ジョナサンはとがめるように言った。「馬鹿《ばか》なことを言うんじゃない！　こうしてわれわれが毎日練習してるのは、いったい何のためなんだ？　もしわたしたちの友情が時間や空間のようなものにたよって成立してるものだったなら、やがてわたしたちが時間と空間を克服したあかつきには、どういうことになる？それはわれわれの絆《きずな》自体をも破壊することになるんじゃないか！　空間を克服したあかつきには、われわれにとって残るのはここだけだ。そしてもし時間を征服したとすれば、われわれの前にあるのはいまだけだ。そうなれば、このこといまとの間で、お互いに一度や二度ぐらいは顔をあわせることもできるだろう。そうは思わないか、え？」

サリヴァンは、思わず笑い出した。

「この変り者め」彼は親しみをこめて言った。「もし地上にいる誰かに、数千キロのかなたをどうやって見るか教えることができる者がいるとすれば、それはジョナサン・リヴィングストン、きみぐらいのものさ」彼は砂に目をおとして呟《つぶや》いた。

「さらば友よ、ジョン」

「さようなら、サリー。また会おう」

そう言うと、ジョナサンは心の中で、以前の海岸に集っている厖大《ぼうだい》なカモメの群れの姿を思い描いた。そして彼はすっかり身についたやり方で自分は骨と羽根のかたまりではない、なにものにもとらわれぬ自由と飛行の完全な精神なのだ、と念じた。

フレッチャー・リンドは、まだとても若いカモメだった。だが、彼は群れの中で自分ほどひどい扱いをうけたり、極端に不公平な仕打ちをうけたカモメはほかにいないと思いこんでいた。

「連中が何と言おうと、おれはかまわない」彼はかっかとしながらそう考えた。そして〈遥《はる》かなる崖《がけ》〉へ向けて飛んで行くにつれて、目の前がぼうっとなってきた。

「飛ぶってことは、ある場所から他の場所へバタバタやってゆくだけのことじゃない！　そのくらいのことなら、えーと、そうだ、蚊だってやってるさ！　おれがちょっとふざけて長老カモメのまわりを円周横転したら、たちまち追放ときた！　あいつらは見えないんじゃないのか？　なにもわかっちゃいないんだ。おれたちが本当の飛び方をおぼえたあかつきに得られる栄光が、どんなものなのか、考えてみることさえできんのか？

連中が何と思おうと、かまうもんか。飛ぶってことはこういうもんだってことを、連中に見せてやる！　やつらがそうして欲しけりゃ、本ものの無法者にだってなってやる！　そして連中にうんと後悔させてやるんだ……」

そのとき彼の頭の奥で、ある声がきこえた。それはとても穏やかな声だったが、彼は驚きのあまり空中でよろけて、つんのめりそうになった。

「彼らにつらくあたってはいけないな、フレッチャー。きみを追放した連中は、かえって自分を傷つけただけなんだ。いつかは彼らにもそのことがわかるだろう。そしてきみが見ているものがやがては彼らにも見えるようになる。彼らを責めるのをやめ、そのことをわからせるように彼らを助けてやることだ」

彼の右の翼から二センチほどのところを、世界中のどのカモメよりも白く輝くカモメが飛んでいた。彼はほとんどフレッチャーの最高速度にちかい速さで、羽根一枚うごかさず楽々と滑るように飛んでいた。

若いカモメは一瞬なにがなんだかわからなくなった。

「こいつはどういうことなんだ？　おれは頭がおかしくなったのか？

それともあの世へきちまったのか？　いったいこれは何ごとだ？」

低い、静かな声が、彼の心にはいりこんできて、返答をせまった。

「フレッチャー、きみは本当に飛びたいのか？」

「はい、飛びたいです！」

「フレッチャー、それほど飛びたいのなら、きみは群れの仲間を許し、さまざまなことを学んで、いつか仲間のもとに帰り、彼らが本当に飛ぶことを知るための手助けをしなくてはならぬ。そうするかね？」

フレッチャーはきわめて気位が高く、腹を立てやすい鳥だったが、この偉大な飛行の名手に対しては本音を吐かざるをえなかった。

「やります」彼は従順に答えた。

「では、フレッチ」その光り輝く生きものは、彼に深い親しみをこめた声で言った。

「それじゃまず、水平飛行からはじめよう……」

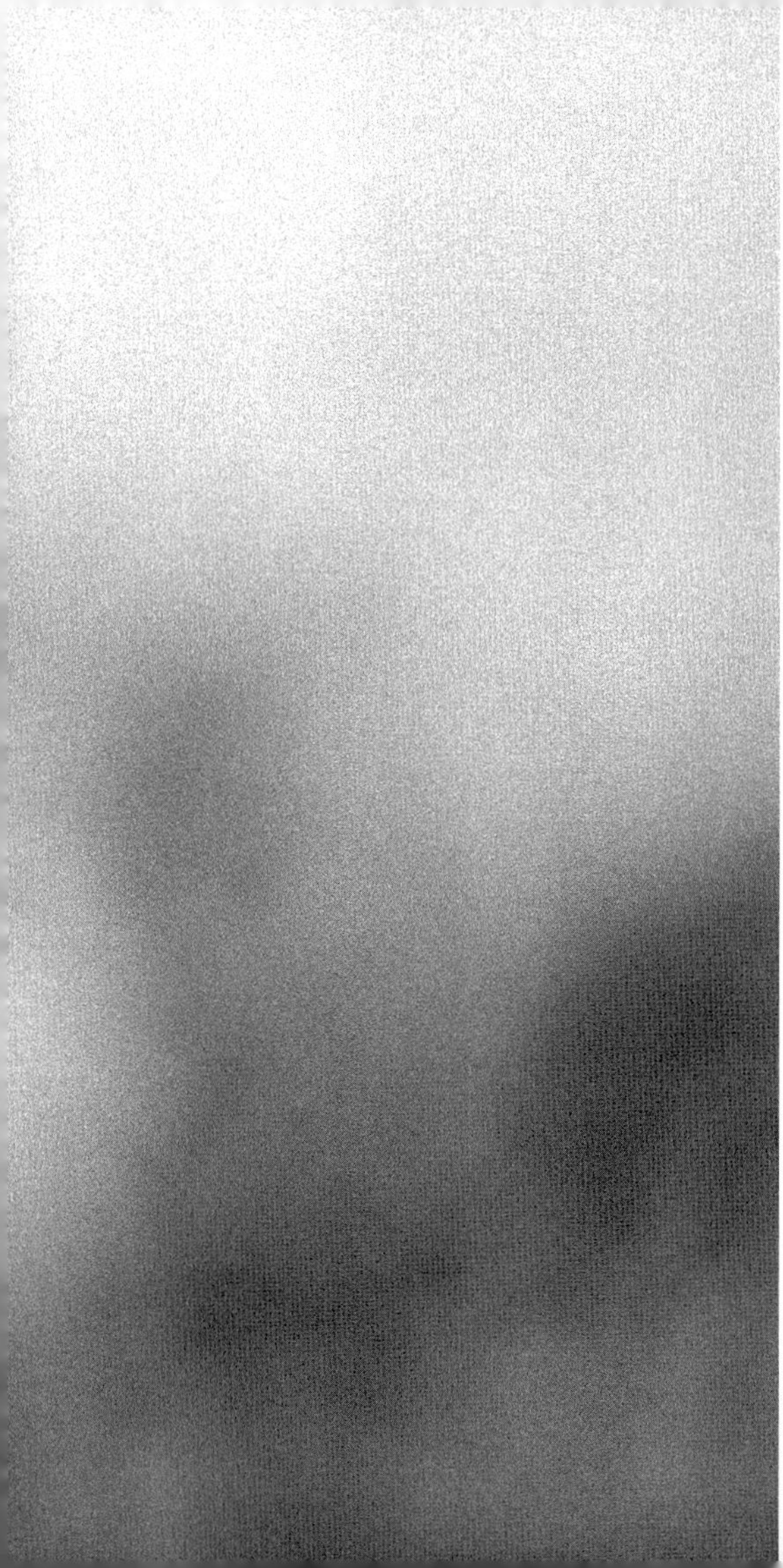

Part Three

ジョナサンは、フレッチャーを見守りながら〈遥《はる》かなる崖《がけ》〉の上をゆっくりと旋回した。この荒っぽい若いカモメは、飛行学生としては、ほとんど満点に近かった。彼は空中で力強く、軽快で、なかなか機敏なところも見せたが、それよりもはるかに大切なことは、彼が飛行法の学習に燃えるような意欲を抱いていたことである。

いま、彼が接近してきた。ぼやけた灰色のかたまりが唸《うな》りをたてて降下してくると、時速二百四十キロでひらめくようにジョナサンのかたわらを通過した。

それから彼は不意に別の練習にうつった。十六分割垂直緩横転だ。彼は大声で分割回数をかぞえた。

「……八……九……十……見てください、ジョナサン、どんどんスピードが、おちてきます……十一……あなたみたいに、見事にぴたっと、停止をしてみたい……十二……でも、ちくしょう、ぼくにはできない……十三、この、最後の、三回が……ないと……十四……ああっ！」

最終段階でのフレッチャーの上昇失速は、自分の失敗への腹立たしさと激怒のせいで、いっそう悪い状態になった。彼はひっくり返り、投げだされ、むちゃくちゃに背面きりもみしながら、あお向けに転落して行き、そして彼の教師のいるところから三百メートル下で、ようやく体勢を立てなおし、息をきらしてあえいだ。

「ぼくなんかにかまうなんて、時間の無駄ですよ、ジョナサン！　ぼくは駄目なやつなんだ！　どうしようもない間抜けなんだ！　何度やったって、どうせものになりゃしませんよ！」

ジョナサンは、彼を見おろし、うなずいてみせた。

「あんなに無茶な急上昇をやらかしたりしてる限り、絶対にものにはならないだろう。フレッチャー、きみは姿勢を変えはじめた時にすでに時速六十五キロは損をしてたんだぞ！　スムーズにやらなくちゃいけない！　しっかりと、だがスムーズにだ、いいか、わかったかね？」

彼は若いカモメと同じ高さまで降下した。

「さあ、今度はわたしと編隊を組んでやってみよう。そしてあの急上昇に気をつけるんだ。スムーズに力を抜いてとりかかるんだぞ」


三カ月たった頃には、ジョナサンの生徒は、さらに六羽、ふえていた。全員、追放されたカモメたちだったが、彼らは皆、飛ぶことの歓《よろこ》びを味わうために飛ぶという、この飛行に関する未知の新しい考えに好奇心を抱いていた。

しかし彼らにとって高度な飛行技術の練習のほうは、まだしもやさしかったが、その背後にある飛行の意味を理解するのは、きわめてむずかしいことだった。

「わたしたち一羽一羽が、まさしく〈偉大なカモメ〉の思想であり、自由という無限の思想なのだ」

ジョナサンは夕方の海岸で、くり返し語ったものだった。

「そして正確な飛行は、わたしたちの本性を表現する一つの段階なのだ。わたしたちを制限するあらゆるものを、わたしたちは退けねばならない。わたしたちが高速、低速、曲技飛行を練習しているのは……」

こうして、彼の生徒たちは、その日の飛行に疲れはて、眠りにつくのが日課だった。生徒たちは練習が好きだった。練習はスピーディで、心をわくわくさせるものがあり、一教程ごとに激しくなってゆく学習に対する渇望《かつぼう》を、その練習がいやしてくれるからだった。しかし、誰ひとり、フレッチャーでさえも、想念による飛行が、風と羽根による飛行と同じように現実的なものであり得るのだと信ずるまでにはなっていなかった。

「きみたちの全身は、翼の端から端まで――」ジョナサンは折をみつけてはよく言ったものである。

「それは目に見える形をとった、きみたちの思考そのものにすぎない。

思考の鎖を断つのだ。そうすれば肉体の鎖も断つことになる……」

だが、たとえ彼がどんなふうに説明しようと、生徒たちにはその話は愉快な作り話としかきこえず、彼らは子守唄《こもりうた》のかわりに、もっとそういう話をしてほしいと願うのだった。

群れのところへ帰るべき時がきた、と、ジョナサンが告げたのは、それからわずか一カ月後のことだった。

「まだ無理ですよ！」とヘンリー・カルヴィンが言った。

「わたしたちは、歓迎されやしませんよ！　追放されたんですから。歓迎されないところに無理にゆくなんてできるわけがありません。そうでしょう？」

「わたしたちは自由なんだ。好きなところへ行き、ありのままの自分でいていいのさ」

ジョナサンは答え、砂地から飛びあがった。そして群れの本拠地をめざして東へむかった。

生徒たちは、しばらくの間、考え悩んだ。追放されたカモメは絶対に戻れないというのが群れの掟《おきて》であり、その掟は今日までこの一万年の間、ただの一度も破られたことがなかったからである。掟はとどまれと言い、ジョナサンは行けと言う。しかし、もはやジョナサンは沖合にいた。もしこれ以上彼らが出発をためらっていたなら、敵意にみちた群れのもとへ、彼ひとりが着いてしまうことになる。

「えーと、つまり、おれたちがすでに群れの一員じゃないのなら、その掟に従う必要はないんじゃないのかね？」フレッチャーがためらいがちに言った。

「それにだぜ、もし向うで争いにでもなった時には、こっちにいるより向うにいた方がずっと役に立つわけだし」

そういうわけで、ジョナサンたち八羽は、翼の端が重なりあわんばかりのダブル・ダイヤモンド型編隊を組み、その日の朝、西の方から飛びたったのである。

彼らは時速二百十七キロで群れが〈評議集会〉につかう海岸を通過した。ジョナサンが先頭をきり、その右翼にはフレッチャーが流れるようにしたがい、左翼のところではヘンリーが元気一杯で張り切って飛んでいた。やがて編隊全体が右へゆっくりと横転した。まるで一羽の鳥が、水平から裏返しになり、再び水平に戻ったかのようだ。風が急に唸りをあげて全員におそいかかった。

彼らの編隊は、まるで巨大なナイフかなにかのように、群れの日常的なけたたましい騒ぎを断ち切った。四千羽のカモメの目は、まばたきもせずに彼らにじっとそそがれた。八羽の鳥は一羽ずつ急上昇にうつり、完全宙返りを行なってから大きく転回し、超低速垂直着陸で砂地に降り立った。そのあとで、まるでこんなことは日常茶飯事といった調子で、ジョナサンは、今の飛行に対する講評をやりはじめた。

「まず第一に」彼は苦笑しながら言った。

「合流するのがかなりおくれたようだが……」

あいつらは追放カモメだ！　なのにやつらは戻ってきたぞ！　それにあんな……あんなことがあってたまるか！　そういう声が群れの間を稲妻のように駆け抜けた。争いになるかもしれないというフレッチャーの危惧《きぐ》は、群れに生じた混乱にまぎれて薄らいでいった。

「うん、そりゃそうだ。オーケイ、やつらはたしかに追放カモメさ」

若いカモメたちの中にはこんなふうに言うものもいた。

「だけど、おい、やつら一体どこであんなふうに飛ぶのをおぼえたんだろうなあ?」

そして、一時間ほどたつと次のような長老の通達が群れに伝わった。彼らを無視せよ、追放カモメに言葉をかけるものは、ただちに追放する、追放カモメを尊敬したりするものは、群れの掟を破ったものとみなされる。

その時以後、灰色の羽毛の持主たちは、ジョナサンに背中を向けたが、そのことを彼は気にしているようには見えなかった。彼は〈評議集会〉が行われる海岸の真上で実習授業を行なった。そして、この時はじめて彼は生徒の能力の限界までむりやり試させたのである。

「マーティン!」彼は空一杯に叫んだ。

「きみは低速飛行法をおぼえたといってるな。だが、そいつを証明するまでは、学習済みにはならんぞ。飛んでみろ！」

小柄でおとなしいマーティン・ウィリアムは、教師から叱咤《しった》をあびて仰天し、驚きすぎたあまり低速飛行の名手になってしまった。ごくわずかの風しかなくとも、彼は羽根をカーヴさせ、羽ばたきひとつすることなく砂浜から雲へ上昇し、再び降りてくることができるようになったのだ。

同じく、チャールズ＝ローランドは、〈聖なる山の風〉を七千二百メートルまで昇り、冷たくて希薄な大気から青ざめて降りてきた。彼は驚きあきれながらも、嬉《うれ》しさで一杯になり、明日はもっと高く昇ろうと心に誓っていた。

人並みはずれて曲技飛行の大好きなフレッチャーは、十六分割垂直緩横転をものにし、次の日には三連続横とんぼ返りを加えてその技を完成した。彼の羽毛は浜辺に向って白い太陽光線を反射させた。そしてその浜辺から彼をこっそり見ている目は、一つや二つではなかった。

毎時間、ジョナサンは彼の生徒それぞれにつきっきりで模範演技を行い、ヒントを与え、強制し、指導した。彼はたのしみに、生徒たちと夜間飛行を行い、雲や嵐《あらし》の中を飛んだ。その間、群れのカモメたちは、みじめにも地上で押し合いへし合いしていなければならなかったのだ。

飛行を終えると、生徒たちは砂地でくつろいだ。やがて彼らは前よりも一層、注意ぶかくジョナサンの話に耳を傾けるようになった。彼は生徒たちには理解しがたい狂気じみた考えを抱いていたが、それと共に、彼らにも理解できる悪くない考えも抱いていた。

次第に、夜間には、別の円陣が生徒たちの円陣をとり囲むようになっていた。それは好奇心を持ったカモメたちのグループで、ずっと何時間も闇《やみ》の中で耳をすましているのだった。お互いに、顔を見たくも見られたくもない連中で、夜の明ける前には姿を消してしまっていた。

群れのカモメの一羽が、はじめて境界線をこえ、飛行法を学びたいと申し出てきたのは、彼らの帰還後一カ月目のことだった。そう申し出たために、テレンス・ローエルは有罪宣告をうけ、追放のレッテルをはられた。こうして彼は、ジョナサンの八番目の生徒になった。

翌晩、カーク・メイナードが群れからやってきた。彼は砂浜をよたよたと左の翼を引きずりながらやってくると、ジョナサンの脚もとにくずおれた。

「助けてください」彼は臨終の言葉でも囁《ささや》くように、ひどく低い声で言った。

「この世のどんなことよりも、ぼくは飛びたいんです……」

「では、一緒においで」と、ジョナサンは言った。

「地面からわたしと一緒に飛びあがるんだ。そこからはじめよう」

「あなたにはおわかりにならないんですか。この翼です。これが動かせないんです」

「メイナード。きみは、たったいま、この場で、真の自分に立ちかえる自由を得たのだ、本来のきみらしく振舞える自由を。なにものもきみを邪魔だてできはしない。それは〈偉大なカモメ〉の掟、実在する

真の掟なのだ」

「ぼくが飛べるとおっしゃるんですね？」

「きみは自由だと言っている」

その言葉を聞き終えるとすぐ、素直にしかもすばやく、カーク・メイナードは楽々と翼をひろげた。そして暗い夜空に舞い上っていった。群れは百五十メートル上空から、ありったけの声でかん高く叫ぶ彼の声に眠りを破られた。

「飛べるぞー！　おーい！　ぼくは空を飛べるぞー！」

日が昇る頃には、千羽ちかい鳥たちがジョナサンの生徒たちの円陣の外側に立って、メイナードをものめずらしげにみつめていた。彼らはもう仲間から見られようがどうしようが、そんなことは気にもとめずに、ジョナサンの話を理解しようと耳を澄ませた。

彼はごく単純なことを話した――つまりカモメにとって飛ぶのは正当なことであり、自由はカモメの本性そのものであり、そしてその自由を邪魔するものは、儀式であれ、迷信であれ、またいかなる形の制約であれ、捨てさるべきである、と。

「捨てさっていいのですか」と、群衆の中からひとつの声があがった。

「それがたとえ群れの掟であっても？」

「正しい掟というのは、自由へ導いてくれるものだけなのだ」ジョナサンは言った。

「それ以外に掟はない」

「どうしてあなたは、われわれもあなたのように飛べると思うんです？」

別の声があがった。

「あなたは他の鳥とは出来がちがうんだ。特別な、才能に恵まれた、神聖なカモメなんじゃありませんか」

「フレッチャーを見たまえ！　ローエルを！　チャールズ＝ローランドも！　ジュディ・リーをごらん！　彼らもみんな特別な、才能に恵まれたカモメかね？　きみたちと同じなんだ。わたしとも同じだ。ひとつ違うのは、たったひとつだけ違ってるのは、彼らは本当の自分というものを理解しはじめていて、そのための練習をすでに始めているということだけなのだ」

フレッチャー以外の生徒たちは、不安げに体を動かした。彼らは、自分たちがやっていることが、そういうことだとはさとっていなかったからである。

集まってくるカモメの数は、日毎《ひごと》に多くなっていった。質問をしにくるのもいたし、憧《あこが》れて近づいてくるものも、また嘲《あざけ》りにやってくるものもいた。

「群れの連中は、あなたのことを〈偉大なカモメ〉ご自身の御子《みこ》ではないかと噂《うわさ》していますよ」ある朝、上級のスピード練習を終えたあと、フレッチャーがジョナサンに言った。

「もしそうでないとすると、あれは千年も進んだカモメだなんてね」

ジョナサンはため息をついた。誤解されるというのはこういうことなのだ、と、彼は思った。噂というやつは、誰かを悪魔にしちまうか神様にまつりあげてしまうかのどちらかだ。

「きみはどう思うかね、フレッチ。われわれは時代より千年も進んだカモメかね？」

長い沈黙があった。

「そうですね。こういう飛行法は、それを見つけ出したいと願う鳥なら、誰でも、いつでもここで学ぶことができるものじゃないんですか。それは時代とはなんの関係もありませんよ。流行を先取りしてるとはいえるでしょうけどね、大多数のカモメたちの飛び方より進んではいますから」

「そういうことだな」ジョナサンは横転し、しばらく背面滑空をつづけながら呟《つぶや》いた。

「そのほうが、早く生れすぎたなんて言われるより、まだしもだ」

ちょうど一週間目のことだった。フレッチャーは新入生のクラスに、高速飛行の初歩原理を実際にやってみせていた。二千百メートルからの急降下から引き起こしを行なった直後、砂浜の上、わずか数センチを長い灰色の線となって猛烈にすっ飛んでいった。すると、はじめて飛んだ子供のカモメが母親の名前を呼びながら、まともに彼の進路に滑り込んできた。十分の一秒でそのちびっ子を避けようとして、フレッチャーは左へ急旋回した。そのとたん彼は時速三百二十キロを少し越えるスピードで堅い花崗岩《かこうがん》の崖へ突っ込んだ。

彼にとってその岩は、別な世界へ通ずる巨大で堅固な扉のようなものだった。激突の瞬間、恐怖と、衝撃と、暗黒が炸裂《さくれつ》し、やがて彼は不思議な見たこともない空を漂っていたのだ。意識を失ったり、ふっと正気に返ったり、また意識を失ったりしながら。不安で、悲しくて、くやしかった。とてもくやしかった。

やがてあの声がきこえてきた。それは彼がはじめてジョナサン・リヴィングストンに出会った日に聞いた声だった。

「大切なことなのだよ、フレッチャー。われわれが順を追って、辛抱強く、われわれの限界を克服しようと努めることはな。岩を貫通する

飛行法に取り組むのは、もう少しプログラムが進んでからのことにしたらどうだい」

「ジョナサン！」

「またの名を〈偉大なカモメ〉の御子《みこ》、かね」ジョナサンは乾いた口調で言った。

「こんなところで何をしていらっしゃるのです？　崖だ！　ぼく……ぼくは……死んじまったんじゃないんですか？」

「ああ、フレッチ、さあ、考えてみるんだ。もし今きみがわたしに口をきいているんなら、まちがいなくきみは生きてるんだ、そうだろう？　きみがなんとかやってのけたのは、自分の意識の水準を、かなり急激に変化させる方法だったのさ。さあ、これからはきみはどちらかを選ばなきゃならん。ここにとどまってこの水準で勉強をしてもいいし、また元の場所へもどって群れを相手にやってもいい。ついでに言っておくと、ここはきみが後にしてきたところよりも、ずいぶん高い場所なのだよ。長老たちはなにか大きな不幸が起これればいいと願っ

ていたんだが、きみが連中のためにこんな有難いことをしでかしてくれたんで、連中はびっくりしてるところさ」

「もちろん、ぼくは群れにもどりたいです。新入生グループの授業をはじめたばかりですから」

「よし、いいぞ、フレッチャー。おぼえているかね、われわれの肉体は思考そのものであって、それ以外のなにものでもないんだということを。一緒にそれをわたしたちはよく語りあったじゃないか」

フレッチャーは頭をゆすり、翼をひろげ、両の目を開けた。そこは断崖《だんがい》の根元で、彼の周囲を群れ全体がとりまいていた。はじめて彼が身動きすると、群衆の中から、騒々しい鳴き声が一斉に湧《わ》きおこった。

「彼は生きてる！　死んだ彼が生きてるぞ！」

「翼の先で触ったんだ！　彼を生き返らせたんだ！　彼は〈偉大なカモメ〉の御子だぞ！」

「ちがう！　やつ自身がちがうと言ってる！　あれは悪魔だ！　悪魔

なんだ！　群れを破滅させるためにやってきたんだ！」

　四千羽のカモメが群れ集まっていた。目の前におこった出来事に仰天し、悪魔だ！　と叫びあう声が、大洋を吹きあれる暴風のように群衆の中を駆け抜けていった。彼らは目をぎらぎら光らせ、鋭いくちばしをふりたてて、ジョナサンとフレッチャーを殺そうとまわりからつめよってきた。

「この場を離れたほうが気分がいいと思うかね、フレッチャー。どうだ？」

　ジョナサンがきいた。

「ええ、そうしてもそう悪くはないとは思いますけど……」

　たちまちのうちに、彼らはかなり離れたところに立っていた。つめよってきた暴徒たちのくちばしは、むなしく空《くう》をきってひらめくだけだった。

「なぜなんだろう？」ジョナサンは、とまどって呟いた。

「一羽の鳥にむかって、自己は自由で、練習にほんのわずかの時間を費しさえすれば自分の力でそれを実施できるんだということを納得させることが、この世で一番むずかしいなんて。こんなことがどうしてそんなに困難なのだろうか？」

フレッチャーは、突然自分が立っている場所の様子が一変したことに驚いて、まだ目をパチクリさせていた。

「一体あなたは何をなさったのですか？　どうやってぼくたちはここへきたんです？」

「きみはあの暴徒たちから逃げ出そうといったんじゃなかったのかね？」

「ええ。でも、どうやってあなたは……」

「ほかのことと全部おんなじさ、フレッチャー。練習だよ」

朝がくるころには、群れは自分たちの狂気じみた行為を忘れてしまっていた。だが、フレッチャーはそうではなかった。

「ジョナサン、あなたはずいぶん前にご自分で言われたことを憶《おぼ》えていらっしゃいますか？　あなたは群れに戻って彼らの学習の手助けをすることこそ、群れを愛することなのだ、とおっしゃった」

「勿論《もちろん》おぼえているとも」

「もう少しで自分を殺しかねないほど暴徒化した鳥たちを、どうして愛せるのか、ぼくには分りませんね」

「フレッチャー、きみはああいうことが嫌いなんだろう！　それは当然だ、憎しみや悪意を愛せないのはな。きみはみずからをきたえ、そしてカモメの本来の姿、つまりそれぞれの中にある良いものを発見するようにつとめなくちゃならん。彼らが自分自身を見いだす手助けをするのだ。わたしのいう愛とはそういうことなんだ。そこのところをのみこみさえすれば、それはそれで楽しいことなのだよ。

　わたしは荒っぽい若いカモメのことをおぼえている。名前は、そうだな、まあ、フレッチャー・リンドでもいい。追放刑になったばかりで、死ぬまで群れと戦う覚悟を固め、〈遥かなる崖〉に自分のつらい地獄をきずきあげようとしていた。それが今ここではどうだ、地獄のかわりに自分の天国をつくりかけていて、その方向に群れを導いているのだからな」

　フレッチャーはジョナサンのほうへ向きなおった。彼の目に一瞬、

怖《おそ》れの色がはしった。

「ぼくが導いている、ですって？　それはどういう意味ですか、ぼくが導きつつあるというのは。ここでの教師はあなたたなんです。あなたはここから発《た》たれてはいけません！」

「果してそうだろうか？　ほかにも群れが、また別なフレッチャーたちがいる可能性を、きみは考えないのかい？　すでに光を求めて飛びはじめているここの群れより、もっと教師を必要としている群れや、フレッチャーがいるとは？」

「ジョン、あなたはぼくにその役目をやれと？　ぼくはただの平凡なカモメに過ぎない。あなたは……」

「〈偉大なカモメ〉の一人息子かね？」ジョナサンはため息をつき、海のほうへ目をやった。

「もうきみにはわたしは必要じゃないんだよ。きみに必要なのは、毎日すこしずつ、自分が真の、無限なるフレッチャーであると発見しつづけることなのだ。そのフレッチャーがきみの教師だ。きみに必要なのは、その師の言葉を理解し、その命ずるところを行うことなのだ」

一瞬のうちにジョナサンの体は空に浮び、かすかに光りはじめ、次第にすきとおっていった。

「彼らにわたしのことで馬鹿《ばか》げた噂をひろめたり、わたしを神様にまつりあげたりしないでくれよ。いいかい、フレッチ？　わたしはカモメなんだ。わたしはただ飛ぶのが好きなんだ、たぶん……」

「ジョナサン！」

「わかったな、フレッチ。きみの目が教えてくれることを信じてはいかんぞ。目に見えるものには、みんな限りがある。きみの心の目で見るのだ。すでに自分が知っているものを探すのだ。そうすればいかに飛ぶかが発見できるだろう」

またたく光がやんだ。そしてジョナサンはたちまち虚空《こくう》に消えさった。

しばらくして、フレッチャーは、重い心でようやく空に舞いあがり、最初の授業を待ち望んでいる、新入生の印をつけた生徒たちのグループと向いあった。

「まずはじめに――」彼は重々しく言った。

「カモメとは、自由という無限の思想であり、また〈偉大なカモメ〉のいわば化身であって、きみたちの全身は、翼の端から端まで、目に見える形をとった、きみたちの思考そのものにすぎないことを理解しなければならない」

若いカモメたちは、呆《あき》れたように彼を眺めた。おやおや、どうやらこいつは宙返りの法則とはちょいと違うようだぜ、と、彼らは思った。

フレッチャーはため息をつき、もう一度くり返した。

「ふむ。いや……まあ、よろしい」

彼はそう言うと、彼らの能力を推し量るような目つきで生徒たちを眺めた。

「それじゃまず、水平飛行からはじめよう」

そう言ったとき、彼は即座にあの友が、今の自分と同じように、まさしく聖者なんぞではなかったことを悟ったのだった。

無限なんですね、ジョナサン？　彼は心の中でつぶやいた。そうか、それならぼくがいつかすっとそっちの側の海岸に姿を現わし、何か目新しい飛び方でも披露できるようになるのも、そう遠い日ではありませんね！

フレッチャーは自分の生徒たちに、厳しい教師と見られるように振舞おうと努めたが、しかし彼は突然、ほんの一瞬にしろ、生徒たち全員の本来の姿を見たのだ。そして彼は自分が見抜いた真の彼らの姿に、好意どころか、愛さえおぼえたのだった。無限なんですね、ジョナサン、そうでしょう？　彼は思った。そして微笑した。完全なるものへの彼の歩みは、すでにはじまっていたのだった。

Part Four

ジョナサンが姿を消してからの数年間、浜辺の群れは、かつてなかった最も不思議な鳥の集団だった。彼らの多くはジョナサンがもたらしたメッセージをたしかに理解しはじめており、若いカモメが背面飛行や宙返りの練習をしているのはごくありふれた光景になっていた。年寄りのカモメが、飛ぶことの栄光に目を向けようとせず、ありきたりの飛び方で漁船をめざし、夕食のふやけたパンを求めているのと同じように。

フレッチャー・リンドらジョナサンの生徒たちは、先輩から伝えられた自由と飛行の教えを、長い伝道の旅の中で、海岸線のあらゆる群れにひろめていった。

そのころ、驚くべき出来事があった。フレッチャーの生徒たちや、またその生徒の教え子たちが、これまで見たことがないほど正確に、ある種の歓《よろこ》びを感じて飛んでいたのである。練習してきた曲技飛行を、フレッチャーよりも見事に、ときにはあのジョナサンよりも見事に披露する鳥が、あちこちに現れた。志の高いカモメの学習曲線は、どんなグラフよりも急上昇を示した。生徒の中には、ジョナサンと同じように、限界を完璧《かんぺき》に乗り越え、自分たちを抑えつける制限だらけの地上から消えていくものもいた。

しばらくは、真に飛ぶことを求めるカモメたちの黄金時代だった。大勢のカモメが、いまや神聖な鳥とみなされるジョナサンと直接に接した弟子に近づこうと、フレッチャーのもとに集まった。フレッチャーは、ジョナサンはわれわれと変わらないカモメだった、われわれが学べることを同じように学んだだけだと話したが、いくら言っても無駄だった。彼らは始終フレッチャーを追いかけ、ジョナサンが言ったとおりの言葉、そのままの仕草について聞き、あらゆる些細《ささい》なことまでを知りたがった。彼らがつまらぬ知識を求めれば求めるほど、フレッチャーは落ち着かない気持になった。ひとたび、メッセージを学ぶことに興味を持つと、彼らは厄介な努力を、つまり訓練、高速飛行、自由、空で輝くことなどを怠るようになっていった。そして、ジョナサンの伝説のほうにややもすれば狂気じみた目を向けはじめた。アイドルのファンクラブのように。

「フレッチャー先生」彼らはたずねた。「素晴らしきジョナサン様は『われわれはまさしく〈偉大なカモメ〉の思想の体現者である』とおっしゃったのでしょうか。それとも『われわれはまぎれもなく〈偉大なカモメ〉の思想の体現者』と？　どちらでしょう」

「お願いだ。先生、はやめてくれ。フレッチャーと呼べばいい。ただのフレッチャーだ」彼らが自分に対して尊称《そんしょう》を使うことにぞっとして、彼は答えた。「それでどんな違いがあるというんだ、彼がどちらの言葉を使ったかだって？　どちらも正しいんだ。われわれは〈偉大なカモメ〉の思想の体現者であり……」しかし彼らがこの答に満足していないのはわかっていた。質問をはぐらかしたと思っているにちがいな

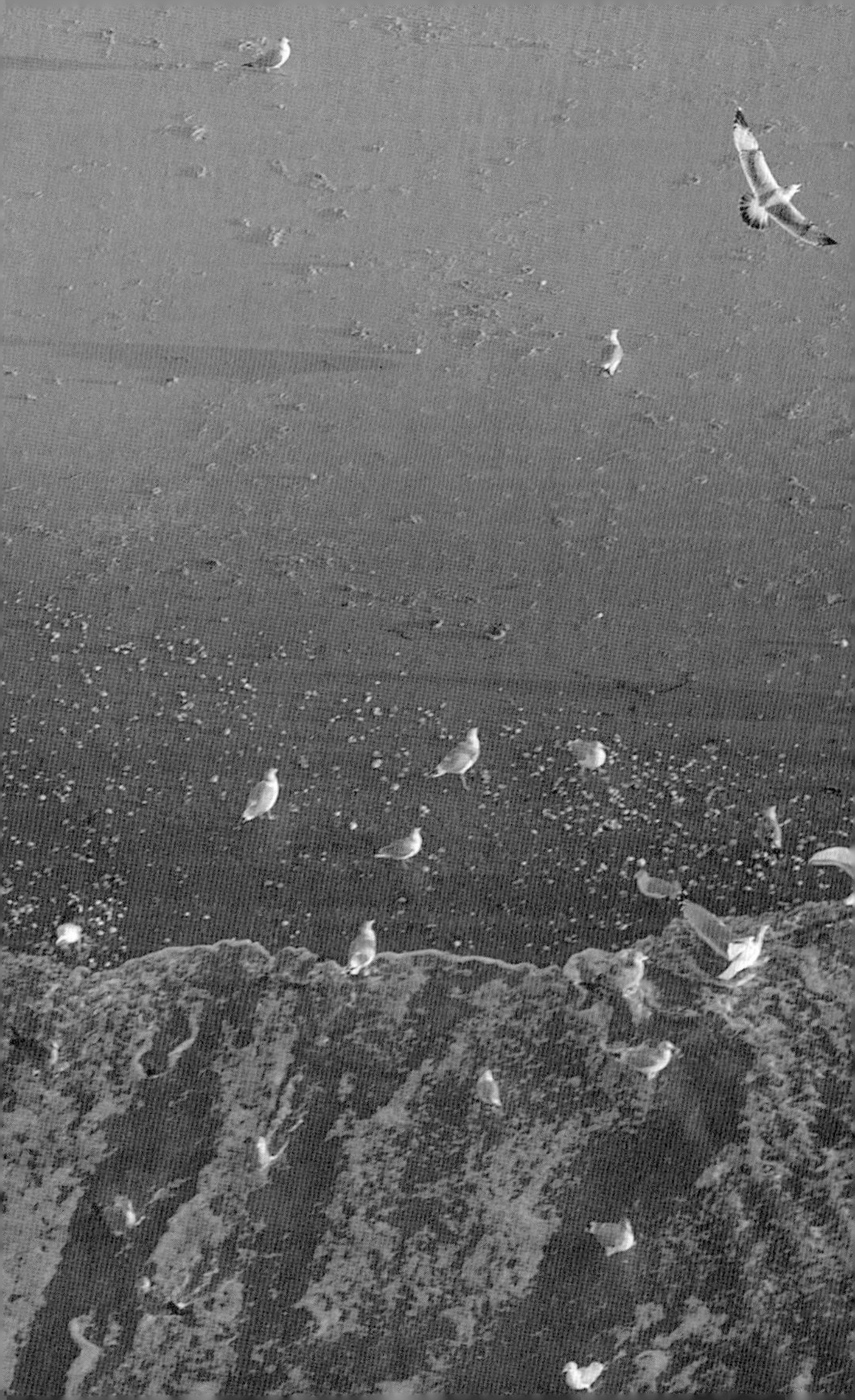

かった。

「フレッチャー先生、神聖なジョナサン様が飛び上がられるときは、風に向って一歩踏み出されたのでしょうか……それとも二歩だったのでしょうか？」彼がその質問を正すこともできないうちに、別の質問が放たれた。「フレッチャー先生、聖なるジョナサン様の目は灰色でしたか、金色でしたか？」質問をした灰色の目の鳥は、狂おしいまでに唯一《ゆいいつ》の答を求めていた。

「知ったことか！　彼の目のことなんか忘れろ！　彼の目は……紫色だったさ！　それが何だというんだ？　彼が伝えにきたのは、われわれは飛べるということだ。目を覚まして、浜辺でだれかの目の色の話をすることさえやめればな！　さあいいか、大車輪旋回を見せてやろう……」

　しかし多くのカモメが、大車輪旋回のような難しいことを練習するのはうんざりだと考え、物思いにふけりながら、ふるさとへ帰っていった。「〈神聖な唯一のお方〉は〈紫色の目〉をしておられた——ぼくの目とは違うし、この世に存在したどんなカモメの目とも違う」

幾年もの間に、クラスは変化した。壮大に舞い上がる飛行の歌声が消え、ジョナサンをめぐる静まり返った講話になった。聖ジョナサン、〈尊い唯一のお方〉について、砂浜で長く熱心にその名を唱《とな》えつづけるのだ。だれも飛ぶことなどは忘れ去ってしまった。

フレッチャーら古くからのジョナサンの生徒は、その変化に困惑し、毅然《きぜん》とした態度で正そうとし、叱責《しっせき》もしたが、どうにも止められなかった。彼らは尊敬され、さらに悪いことに――崇拝されてさえいた。もはや彼らの話を聞くものはなく、飛行の練習をする鳥はどんどん少なくなっていった。

次から次へと〈直接にジョナサンから学んだ生徒たち〉はこの世を去っていった。冷たい骸《むくろ》があとに残った。その骸に集まったカモメの群れは、涙に暮れた盛大な儀式をとり行い、小石で作った巨大な石塚《いしづか》の下に直弟子《じきでし》たちを埋葬した。ひどくしかつめらしい顔をしたカモメが長い哀悼の説教をしたあと、小石はそれぞれ定められた場所におごそかに積まれた。石塚は偉大な聖堂となった。〈聖なる境地〉を体験することが、石塚に小石を落とす、すべてのカモメの願いだった。だれも〈聖なる境地〉とはどんなものかを知らなかった。だが、それはたずねれば必ず愚か者と思われるだろう厳粛で奥深いものと考えられていた。いや、もちろんだれもが〈聖なる境地〉を得る月並みな方法を知ってはいた。たとえば、マーティンの墓へ落とす小石がきれいであればあるほど、〈聖なる境地〉にたどり着くチャンスは大きくなると信じられていたのである。

フレッチャーが最後にこの世を去った。長く孤独な訓練で、いまだかつてなく純粋で美しい飛行をしているときのことだった。彼の体は長い長い垂直緩横転の最中に消えた。ジョナサンと初めて会ったときから練習してきた飛び方である。彼は消えるとき、小石を置くことや、〈聖なる境地〉について瞑想《めいそう》することもなかった。そして極致に達した自分自身の飛行に没頭していたのだ。

次の週にフレッチャーが浜辺に姿を見せず、メモも残さずに消えてしまうと、群れは狼狽《ろうばい》し混乱した。しかしまもなくカモメたちは集まって、考え、何が起きたか判断を下した。そこで公表されたのは、こういうことだった。フレッチャーは、ほかの〈七羽の最初の生徒たち〉に囲まれ、のちに〈至上《しじょう》の岩〉として知られるようになる岩の上に立っていたというのだ。そのとき雲が裂けると、あの偉大なるジョナサン・リヴィングストンが、見事な大羽根と金の貝をつけた輝く王冠を額にのせ、空と海と風と大地をさし示しながら、フレッチャーを〈至上の浜辺〉へ呼びよせた。すると彼は魔法にかかったように上昇し、神々《こうごう》しい光につつまれた。そして再び雲が閉じていくなか、カモメたちの見事なコーラスが響きわたったというのである。

そうして、フレッチャーの聖なる記念碑、〈至上の岩〉に築かれた小石の山は、地上のあらゆる場所のあらゆる海岸線の中で最も大きな石塚となった。いたるところに模造の山がつくられ、毎週火曜日の午後になると、そこに歩いてやってきたカモメたちの群れが、ジョナサン・リヴィングストンと〈才能に恵まれた神聖な弟子たち〉の奇跡に

ついて話を聞くのである。もはやだれもが絶対に必要な時しか飛ばなかったが、飛ぶ時には奇妙な慣習が生まれた。ある種のステータスシンボルとして、一部の鳥たちが、くちばしに木の枝をくわえて運びはじめたのである。運ぶ枝が大きく重いほど、カモメの群れの中で注目を集めた。枝が大きいほど、良心的な飛行をしているとみなされたのだ。ことさら重い枝を運ぶことで、だれよりも誠実な飛行をしていると言いだすものもいた。

時がたつと、古びた石塚がジョナサンの教えのシンボルとなった。そしてのちに、すべての古い岩まで、そうみなされるようになっていった。それは飛ぶことの歓びを教えた鳥のシンボルとしては、どうみてもふさわしくないのだが、だれもそうは思っていないようだった。少くとも、群れに属するものたちはそうだった。

火曜日には、すべての飛行が中断された。無気力な群衆が集まっては、〈群れの幹部生徒〉が唱える話を聞いた。わずか数年の間に、その唱えは固定化し、花崗岩《かこうがん》のように堅苦しい教理になった。「ああ……ジョナサク……カモメク……偉大なカモメク……唯一ク……われわれ……ブヨ……より……劣る……ものに……憐《あわ》れみを」延々と、何時間もそれがつづくのである。幹部生徒にとっては、音をそろえて矢継ぎ早《ばや》に発することが優れていることの証《あかし》だったから、言葉としてはまったく理解されなかった。一部の生意気な鳥たちは、その音には何の意味もないと陰口をたたいた。たとえ、ひとつ、ふたつは聞き覚えのある言葉が耳にのこったとしても。

大きな砂岩をくちばしでつついて彫りあげたジョナサンの石像には、紫色の貝が悲しげな目として嵌《は》められていたが、その目は悲しみをたたえていた。しかし、それは海岸のあらゆる石塚よりも、厳格な崇拝の中心となっていった。

やがて二百年もしないうちに、ジョナサンの教えのほぼすべての内容が、それは〈聖なる言葉〉であるという単純な宣言によって、日常の営みから遠ざけられていった。ふつうのカモメたちにとっては無縁なものになったのである。やがて、ジョナサンの名のもとに確立された儀式典礼は強迫観念になっていった。何羽かの思考力のあるカモメたちは、空路を変え、石塚の見える範囲では飛行しないようにした。それが建てられたのは、勤勉さや偉大さよりも、偽善的な迷信と儀式のためだと感じたからである。こうした思考力のあるカモメたちは、「飛行」「石塚」「偉大なカモメ」「ジョナサン」などという決まり文句を聞くと、とたんに心を閉ざした。ほかのことに関しては、ジョナサン以来最も頭の働く、まともなカモメたちだったが、聖ジョナサンの名前が口にされたり、「飛行」「石塚」「偉大なカモメ」などという言葉が〈地域の幹部生徒〉によってスローガンのように使われたりすると、その心は落とし戸のようにバタッと閉じてしまうのだった。

彼らは素朴な好奇心から、飛行の実験をはじめていた。そして、月並みな言葉は決して使わなかった。「これは飛行ではない」と自分自身に何度も言いきかせた。「何が正しいかを見出《みいだ》すための方法にすぎないんだ」。そして、〈幹部生徒たち〉になることを拒み、独学をしていった。ジョナサンの名前にたよらず、彼が群れにもたらした真のメッセージを学ぼうと志《こころざ》した。

これは決して大袈裟《おおげさ》な革命ではなかった。叫びも、振りかざされる旗もなかった。しかし、たとえばアンソニーのような、まだ完全に大人の羽根にもなっていないカモメたちが、疑問を投げかけはじめた。

「いいですか」彼は〈地域の幹部生徒〉に言ったことがあった。「毎週火曜日、あなたの話を聞きにくるカモメたちは、三つの理由でやってくるのですよね？　まず、自分たちが何かを学んでいると思っているから。そして、石塚に新たな小石を置くことが自分たちを神聖にすると思っているから。それから、そこに行くのが当然だとみなが思っているから。違いますか？」

「それはそうだが、そこからきみは何も学ぶことがないのかね？」

「いえ。学ぶことはありますが、それが何なのかわからないのです。たとえ百万個の小石を積んでもぼくが神聖になることはありません、ぼく自身がそれに値しないのならばね。それに他のカモメたちにどう思われようとぼくは一向《いっこう》にかまわないのですから」

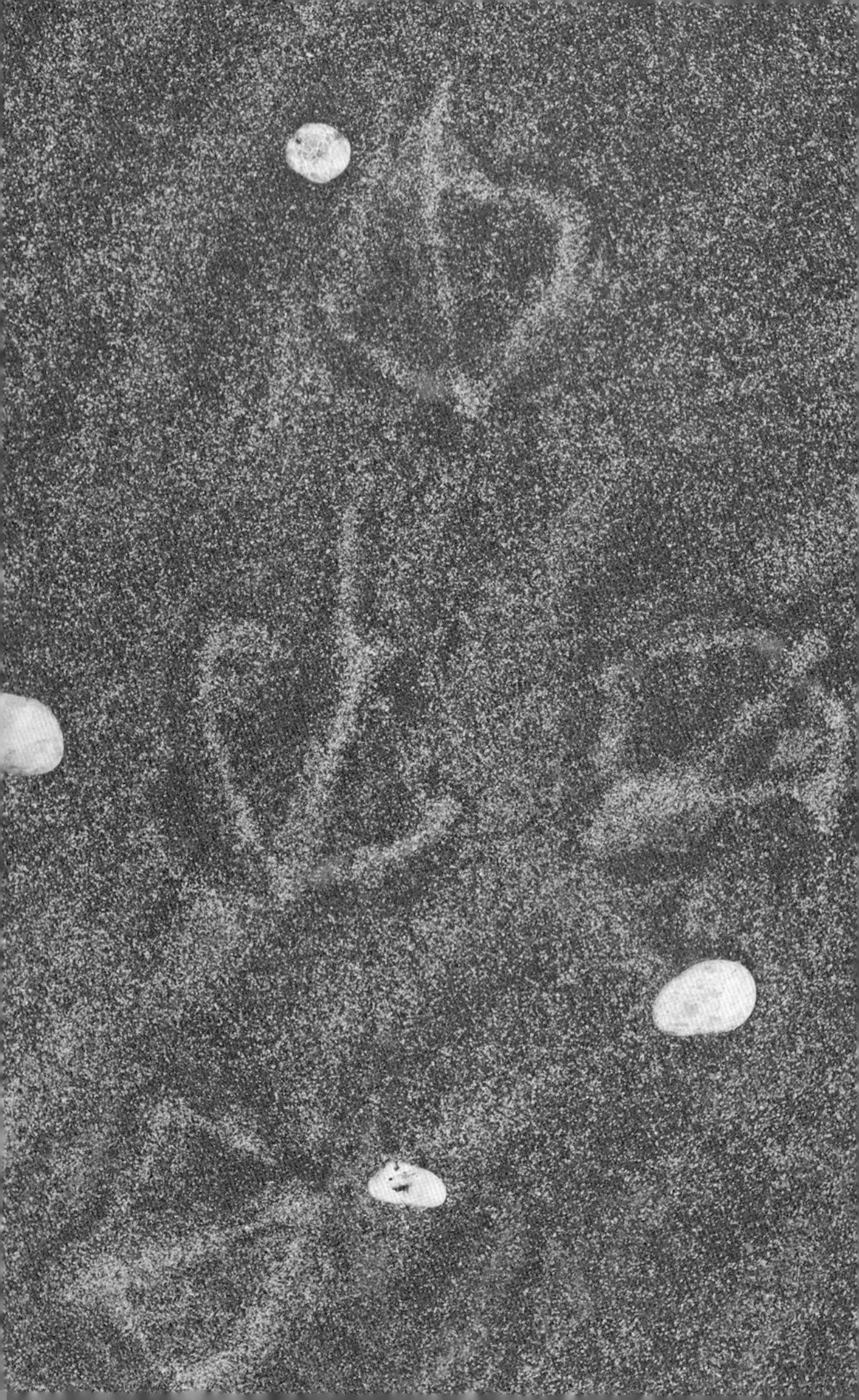

「それできみの答は何なんだね？」この異端の説に幹部生徒はなんとなく動揺していた。「生きることの奇跡をきみはどう説明するんだ？聖なる御名《みな》の偉大なジョナサン師はおっしゃった。飛行とは……」

「いえ、生きることは奇跡じゃありません。退屈なものです。あなたの偉大なジョナサン師は、ずっと昔にだれかがでっちあげた神話です。世界のありのままを見ることに耐えられない弱虫が信じるおとぎ話じゃありませんか。想像してみてください！　時速三百二十キロで飛べるカモメを！　ぼくも試してみましたが、急降下しても、せいぜい八十キロですよ。その時でさえほとんどコントロールを失っていたんです。絶対に破れない飛行の法則があるはずだ。そう思わないのでしたら、自分で試してみてください！　正直なところ、あなたは本当に信じているんですか、偉大なジョナサンが時速三、百、二、十、キ、ロ、で飛んだと？」

「それどころかもっと速かった」幹部生徒はどこまでも公式的な言葉で応じた。「そして彼はほかのカモメたちにもそれを教えたのだ」

「そうやっておとぎ話が進むわけですね。まあ、それほどの速さで飛べるということを目の前で見せていただけるのなら、ぼくもあなたの言うことを信じるようになるでしょうけど」

そうだ、そこに鍵《かぎ》がある、と若いアンソニーは言った瞬間に自分でわかった。答は得られなかったが、わかったのだ。自分は、感謝し、喜びながら、あの伝説のカモメのあとを追って命をなげうつことになるにちがいない、と。自分の説を証明し、生きることに意義を見出す答、日常を優れた歓びのあるものにする答をわずかであっても確かに示してくれるカモメ。そのカモメを見つけるまでは、自分の生活は灰色で荒れはて、雑然とし、目的もないままであるにちがいない。あらゆるカモメは、血と羽根の偶然の結合にすぎず、意味もなく忘れ去られていくのだ。

アンソニーは自分の気づいた道を選択した。やがて時とともに、そのような若いカモメが、次第に増えていった。彼らは偉大なジョナサンの名のまわりにある硬直した儀式や儀礼を拒み、日常生活のむなし

さに悲しみを覚えながらも、少くとも自らには正直で、いまの自分の日々がむなしいという事実にまっすぐ向き合えるほど勇気があったのだ。

そしてある午後、アンソニーは海の上を羽ばたきながら、ふと、ぼんやりと考えていた。生きることは無益であり、無益ということはすなわち無意味であるとするなら、唯一まともな行動は、海に向って急降下し、溺《おぼ》れ死ぬことではないだろうか。こうして海草のように、意味も歓びもなく生きるのなら、むしろまったく存在しないほうがましだ。

すべて理にかなっていた。まっとうな理屈だ。アンソニーは生まれてこのかた、正直を貫き、論理に従おうとしてきた。遅かれ早かれどうせ自分も死ぬのだ。苦しく退屈な生活をこれ以上、引きのばす理由があるだろうか。

突然、彼は六百メートルの高さから一直線に海へ降下していった。時速八十キロ近くで落ちていく。不思議に爽快《そうかい》だった。いま、自分は正しい決断をくだしたのだ。完全に理にかなった唯一の道を見つけたのだから。

死の降下。下方で海が傾き、巨大になっていく。そのとき彼の右の翼をかすめていくヒューという異常な風切り音がおこった。なんと他の飛行するカモメに追い越されたのだ。その鳥は強烈な光を放って下降する白い稲妻、宇宙からの一瞬の流星だった。ぎょっとしたアンソニーは、思わず翼を曲げて急ブレーキをかけた。そしてわが目を疑った。

流星のように彼をかすめたものは、海に向ってたちまち小さくなり、波頭をかすめてきらめいた。それからふいに激しい急上昇に転じ、くちばしを真っすぐ空に突き上げて横転した。それは長い長い垂直緩横転で、横転しながら、ありえないほど完全な円を空中に描いた。

アンソニーは失速しながら、じっと見つめた。自分がどこにいるかも忘れ、さらに減速した。「絶対にそうだ」と彼は大声で言った。「絶対にあれはカモメだった！」彼はすぐにその影のほうに向って飛んだ。

相手はこちらに気付いていないようだ。「おーい！」彼はできるかぎりの大声で呼んだ。「おーい！　待ってくれ！」

　そのカモメはすぐに片方の翼を上げ、驚異的な速さで反転した。水平飛行に移り、炎のような激しさでアンソニーのほうへ向ってくる。そして突如、垂直横傾斜に入り、空中で急停止した。

「ヘイ！」アンソニーはすっかり息を切らしていた。「何を……何をしてるんです？」ばかげた質問だったが、ほかに何と言ったらいいかわからなかった。

「驚かせてしまったならすまない」見知らぬカモメは、風のように澄んだ快活な声でこたえた。「きみのことはずっと目に入っていたんだ。こっちはただ遊んでいただけさ。……ぶつかるつもりはなかったんだ」

「いや！　そういうことじゃなくて」アンソニーは、生まれて初めて目を覚ましたような、生き生きした感覚をおぼえた。ある直感が彼の心をつらぬいた。そしてきいた。「一体、いまのは何だったんです？」

「ああ、たのしく飛んでただけだよ。急降下、急上昇から、緩横転して、頂点で横転宙返り。ただの暇《ひま》つぶしさ。きみももし同じように飛びたいんなら、やってみるかい？　少しばかり練習が必要になるけど。でも素敵なことだと思うだろ？」

「ええ、はい……美しいです、ものすごく！　でも、あなたはぼくらの群れにはいませんでしたよね。いったいあなたは、だれなんです？」

「ジョンとでも呼んでくれ。そう、ジョナサンだ。よろしく」

ゾーンからのメッセージ

五木寛之

『かもめのジョナサン』は、不思議な物語である。これを寓話《ぐうわ》とよぶか、それともファンタジーとよぶべきか、私にはわからない。

人によってはモーリス・メーテルリンクの『青い鳥』を連想する場合もあるだろう。またサン＝テグジュペリの『星の王子さま』を思い浮かべる読者もいるかもしれない。両者とも人間の希望と幸福についての物語であり、さまざまな謎《なぞ》をはらんだ作品だからである。

『青い鳥』は一般に幸福の代名詞のようにイメージされている。しかし、それは誤解であって、決してハッピーエンドの物語ではない。チルチルとミチルが、「青い鳥」を手にしたと思った瞬間に、その鳥は窓から遠くの空へ逃げ去ってしまうのだ。

同様に『星の王子さま』も、深い悲哀をたたえた作品である。しかし、『かもめのジョナサン』に、その絶望感はない。ジョナサンが追求するのは、「生の価値」ではないからである。彼は「ただ生きるためだけに生きる」ことが耐えられない。しかし、「生きる意味」を求めて群れを離れたわけではない。

彼はシンプルに「飛ぶことの歓《よろこ》び」に身を投じたのだ。そして、その結果として、ジョナサンは「生きる意味」を感じることになった。内面の世界の追求は、彼の目的ではない。「飛ぶ」「よりよく飛ぶ」ことのフィジカルな追求が、おのずと精神世界に彼をみちびいたのである。

『かもめのジョナサン』は、一九七〇年に発表されてからの数年間、ほとんど世間の注目を浴びることはなかったという、いまはレジェンドとなったそんなエピソードもあって、やがて全世界に『ジョナサン』のブームが沸きおこった。人によってはブームというよりバブルといったほうがふさわしい現象だったのかもしれない。

アメリカの出版界で最大の発行部数を示した『風と共に去りぬ』を、

軽く追い越したというのも伝説の一つである。それはあきらかに社会現象としてのブームだったと思われる。出版界のパブリシティー戦略の成果だけとは考えられない現象だった。時代の無意識につよく訴えるなにかが、そこにあったのだろう。

なぜ人びとはジョナサンの物語に惹《ひ》かれたのか。時代や思想の流行、ということもあるかもしれない。しかし、それだけではないだろう。

最初にこの物語を手にしたとき、私はいくつかの点でこの作品に違和感をおぼえるところがあった。蛇足としての「あとがき」(編集部注　本書188ページから再録した) のなかで、私は卒直にそのことを書き、さまざまな批判をうけた。

今回、かなりの年月をおいて、終章のPart Fourがやってきた。一読して、私は思わず意外なことを連想した。かつての違和感を思い出すと同時に、リチャード・バックという作家は、この部分を書きたくて『かもめのジョナサン』を創《つく》ったのだな、と納得するところがあったのだ。

この新たに発表された部分を読んで、すぐに私が連想したのは、法《ほう》然《ねん》のことである。

法然は、十二世紀から十三世紀にかけて、専修念仏《せんじゅねんぶつ》を広めた僧である。日本における聖フランチェスコのような存在といってもいいだろう。親鸞《しんらん》は終生の師として、法然を仰いだ。世にいう悪人正機の思想は、この法然から親鸞に受けつがれ、深められていく。

法然は、念仏一つですべての人は救われる、と説いた。儀式も、戒律も、修行も、学問も、すべて必要なし、というのが法然の立場である。

しかし、法然の死とともに、その偶像化がはじまる。死せる法然は、生ける仏として崇拝されることになる。残された人びとは法然が自然に老衰死したことを認めようとはせずに、その死に特別な奇瑞《きずい》を加え、伝説をつくろうとする。盛大な法会《ほうえ》がいとなまれ、やがて偶像化がすすんでいく。

ジョナサンは「飛ぶことの歓び」を追い求め、自然に内面の重要さに気づくのである。しかし、多くのカモメ社会の鳥たちは、ジョナサンを神格化しようとする。

仏教の世界でも「面授《めんじゅ》の弟子」ということが重要視されることが多い。「面授」とは、直接にその人と向きあって教えをきいた特別の存在である。直門《じきもん》とか、直弟子《じきでし》とかいう言葉もある。

ブッダは食中毒で亡《な》くなった。クシナガラの林の中で、いわば行き倒れのような逝《い》き方をした。息絶える前に残した言葉のなかに、「弟子たちは葬儀にかかわるな」というのがあった。自分の日頃の教えを大切にせよ、死の儀式化は俗世間にまかせよ、ということだろう。

しかし、ブッダの偶像化は、彼の死と同時に発生する。遺骨の分割について争い、ブッダの教えよりもブッダその人を崇拝することが重要視されるようになっていく。

ジョナサンの飛びかたを憧《あこが》れたカモメたちの間に、ジョナサン教が生まれ、飛ぶことよりもジョナサンの秘儀を語ることが彼らの関心事となっていくのは象徴的だ。

そんな中で、アンソニーという一羽のカモメが、深い疎外《そがい》感におそわれ、その果てにみずから死を思うところまで追いつめられる。一種の鬱《うつ》におそわれたと考えていい。そして、そこに現れたのが、永遠の時空を超えたジョナサンだったのか。それともジョナサンの幻影だったのか。

いつの頃からかスポーツやビジネスの世界で、「ゾーン」とか「フロー」とかいわれる奇蹟《きせき》的な時間体験が語られるようになってきた。その時間に遭遇すると、あらゆるエゴやこだわりが消え、真の自由が訪れる。個人の技倆《ぎりょう》を超えて、自然に滑らかにすべての物事が進行するというのである。

私はまだ体験したことがないが、そういった現象が確かにあるのかもしれない、と思うときがある。念仏するなかで、人が光を感じたとしても少しも不思議ではない。

しかし、親鸞はきびしく神秘化を否定した。ゾーンは一つのことに歓びをもって純粋に没入できたときの結果であって、目的ではないような気がするのだが、どうだろうか。

いずれにせよ、長い年月を経て、この物語が神秘的に神秘化を否定する結末をむかえたことに不思議な感慨をおぼえずにはいられない。

原作はシンプルな表現で貫かれているとはいえ、私にはまったく手におえない外国語の物語だった。そこで原文を正確に、かつ丹念に訳してくださる原訳者として故・国重純二氏と菅野楽章氏に訳文を頂いたことを心から感謝せずにはいられない。それを自由に日本語の物語として書きあげたのが、この一冊である。あえて翻訳とはよばずに「創訳《そうやく》」としたゆえんだ。四十年の歳月をへだてて、再びジョナサンの物語にかかわる機会をあたえてくださった新潮社の中瀬ゆかり氏と楠瀬啓之氏にもお礼を申上げたい。決して長くはない不思議なストーリーから、読者がそれぞれに自由な想像力の飛翔《ひしょう》をたのしまれんことを。

1974年版あとがき

ひとつの謎《なぞ》として
――『かもめのジョナサン』をめぐる感想――

五木寛之

ひと月ほど前に、『グライド・イン・ブルー』というアメリカ映画を見た。ハーレーの凄《すご》いオートバイが出てくる一風変った映画である。最後のシーンで、主人公の小男の警官がヒッピーに撃ち殺されてしまう場面を見ていて、なんとなく息がつまるような重苦しい感じがした。ただ重苦しいだけではなくて、どこか虚脱感をともなった哀切さのようなものもあったような気がする。

その映画を見終って帰る途中、ずっと『イージー・ライダー』のことを考えていた。『イージー・ライダー』では、オートバイに乗ったヒッピーが保守的な南部の男たちにショットガンで吹っ飛ばされるのだが、『グライド・イン・ブルー』では、それが逆になっている。白バイに乗った若くて、いささかおっちょこちょいな警官が、麻薬の運び屋をやっているヒッピーに銃で撃ち殺されてしまうのだ。それも免許証を忘れたヒッピーに、そいつを届けてやろうと彼らの車を追っかけている最中にである。ここでは暴力がヒッピーの側から行使される。撃たれた警官の死にざまも、いっこうにぱっとしたものではない。ぶざまな、間の抜けた殺され方なのだ。それはあのピーター・フォンダのバイクが弾《はじ》かれたように空を斜めにすっ飛ぶラスト・シーンの恰好《かっこう》のよさとは、まるでくらべものにならない。

この二つのアメリカ映画の間にある、ほんの数年間にしか過ぎない時の経過には、とほうもない深い裂け目がぽっかり口をあけているような気がする。ドロップアウトする若者がアメリカの痛ましい自由と夢の象徴として描かれた『イージー・ライダー』の時代には、苦しみはあっても、どこかに或《あ》る明るさもまた漂っていた。そこにはまだ確かな脱出口が見えていたはずだ。たとえ犠牲を必要とする途であったとしても。

だが、『グライド・イン・ブルー』に描かれた世界は、私たちの時代が、いやおうなしに直面せざるを得ない、醒《さ》めた、不快な、ざらざらした手触りの現実である。この二つの映画の間に、もうひとつ、『ファイヴ・イージー・ピーセス』をはさめば、そこに余りにも素早く風化して行く私たちの時代の透視図が描けるだろう。それは決して後味のいい作業ではない。ここにはまさに「第三期」のロスト・ゼネレイションともいうべき精神的な真空状態が広がっていて、何かを強く呑《の》みこみたがっているようだ。

『かもめのジョナサン』もまた、こういう時代の物語である。現代の『星の王子さま』みたいな本だと人づてに聞かされて、手に取ってみると、かなりこれは違った種類の本だった。たしかにサン゠テグジュペリも、『かもめのジョナサン』の作者のリチャード・バックも、プロの飛行機乗りで、いわゆる作家らしくない作家とはいえる。『星の王子さま』と『かもめのジョナサン』とが、寓話《ぐうわ》のかたちをとった作品であることも似ているといえばそうだ。しかし、両者の間にはどこか異質のものがあって、その違った部分を掘りさげて分析して行けば、かなり厄介な仕事になるだろうという気がしないでもない。

私は最初、この短い物語を読みすすんで行くうちに、何となく一種の違和感のようなものをおぼえて首をかしげたものだ。この本はアメリカ西海岸のヒッピーたちがひそかに回し読みしていて、それが何年かのうちに少しずつ広がってゆき、やがて一般に読まれるようになった、と何かの雑誌で読んでいた。カモメの写真が沢山はさまった薄っぺらな本で、大した宣伝もしなかったのに何年かたって爆発的に読まれるようになった、という話も耳にしていた。そういうニュースから、私の側に或る先入観のようなものができていて、実際に少しずつ読み進んで行くと、かなり前に考えていた種類の物語と違っている感じが私をとまどわせたのだろう。アメリカは再び英雄を待ち望んでいるのか、と、奇妙な気がしたものだった。この物語の主人公であるジョナサンというカモメ君は、実際、相当の頑張り屋さんなのである。しかも頭もよく、向上心もつよい。おまけに「愛」することの意味までもちゃんと知っている大したカモメなのだ。そのジョナサンが、他の仲間のカモメたちを見る目に、どこか私はひっかかったのだった。ジョナサンにとっては、食うことよりも飛ぶことの方が大切なのである。それだけではない。飛ぶだけでなく、飛ぶことの意味を知り、さらにそれを超えることすら彼の求めるところとなるのである。そして、さまざまな苦しい困難な自己と外界との闘いの末に、彼は完全な自由を吾《わ》がものとした光り輝くカモメとなって暗黒の大空へ飛び去って行く。

そんな大したカモメに、ただただ感心して、ひとつおれも食うことにあくせくするのは今日限りでよして、生きることの本当の意味を探る旅へ出発しよう、などと素直に反応するほど現代の私たちは単純ではない。さきにあげた三つの映画を通過してきている私たちであればなおさらだ。すでに私たちは恰好よく吹っ飛ぶイージー・ライダーの死よりも、間抜けな死にざまをさらす小男の田舎警官の死に強い感慨をおぼえる立場にいるのである。

しかし、最初のそういった抵抗感も、最後まで読み通してみると何となく気にならなくなってしまうところが、この物語の巧妙さなのだろう。たまたま里帰りしていたヘンリー・ミラー氏夫人のホキ・徳田女史は、話がこの物語のことに触れると、くしゃくしゃに顔をゆるめて、「かわいいわねーえ、あのカモメ！」と、叫ぶように口走ったものだった。

井上謙治氏の書かれた文章によると、特異な作家として私たちの間にも宗徒の多いレイ・ブラッドベリーは、この作品のことを「読む者がそれぞれに神秘的原理を読み取ることのできる偉大なロールシャッハテスト」だと語っているそうだが、まあ、それこそ評価のしかたにもいろいろあるな、という感じで、私自身はもっと明快単純に物語に即して、面白がったり笑ったりといった読み方を楽しんだほうである。この主人公のカモメにキリストの姿を見たり、現代のバイブルのように言ったりするのも、いささか気骨の折れることのような気もする。むしろ第一章で、いろんな曲技飛行を試みては失敗して、両親をはらはらさせたり、自己嫌悪《けんお》におちいったりするジョナサンの少年っぽい可愛《かわい》らしさ、おかしさこそこの物語の最も魅力的な部分なのかもしれない。もちろん、自分で飛行艇を買いこみ、日夜それを最愛の友として暮しているという作者らしく、ジョナサンが未知の飛行技術に挑むあたりの描写は、何とも現実感があふれていて、中年男の私でさえちょっと胸のはずむ感じもある。

しかし、この物語が体質的に持っている一種独特の雰囲気《ふんいき》がどうも肌に合わないのだ。ここにはうまく言えないけれども、高い場所から人々に何かを呼びかけるような響きがある。それは異端と反逆を讃《たた》えているようで実はきわめて伝統的、良識的であり、冒険と自由を求めているようでいて逆に道徳と権威を重んずる感覚である。第二章、第三章と、後になるにしたがってユーモラスなところが少くなって行くのも奇妙な感じだし、奇妙といえば、この物語の中に母親を除いてただの一羽も女性のカモメが登場しないのも不思議である。後半では完全に男だけの世界における友情と、先輩後輩の交流だけが描かれる。食べることと、セックスが、これほど注意ぶかく排除され、偉大なるものへのあこがれが上から下へと引きつがれる形で物語られるのは、一体どういうことだろう。総じてジョナサンの自己完成が、群れのカモメ＝民衆とはほとんど切れた場所で、先達から導かれ、さらに彼が下へそれを伝えるという形式で達成されるのも、私には理解しがたいところなのだ。彼の思う「愛《ラヴ》」には、どこかチャリティショウの匂《にお》いもしないではない。ここにあるのは、私の思い描く「良きアメリカ」ではなく、アメリカがいまノスタルジーを感じつつある「古き良きアメリカ」の姿なのではなかろうか。この物語を翻訳するにあたって、私はアメリカから朗読のレコードや、ニール・ダイヤモンドが作曲し、みずから歌っているサウンド・トラック版などをとりよせ、何度となく聞き返した。それは聞けば聞くほど憂鬱《ゆううつ》になってくるしろもので、朗読は声を震わせて時代劇のセリフみたいだし、レコードはまるで古い映画の『スパルタカス』あたりの音楽を連想させるのである。フルオーケストラはワーグナーでもやりかねない勢いで重々しく響き渡るのだ。偉大、荘重、神秘、高揚、そういった感じを必死になって表現しようとしている具合なのである。かつて一九三〇年代に、人々はそういうものを求めたことがあった。いま、アメリカの民衆は一体なにを待望するのだろう。いや、それはアメリカだけのことではないのではなかろうか。

およそ翻訳という作業において、原作への共感と尊敬が不可欠であることは、私も知っている。しかし私はただ不満と反撥《はんぱつ》からこの仕事をはじめたのではなかった。そこには事実、体を灼《や》くような強い関心もまたあったのだ。私が心を動かされたのは、この短い物語が、いま、この一九七〇年代に、アメリカの大衆の中で、凄《すさ》まじいほどの支持と共感を集めつつあるという、疑いもない事実だった。いま、人々は何を待ち望んでいるのか？　この物語が『日本沈没』などとは比較にならない多くの読者をかちえた、その魔力は何なのか？　それはアメリカをこえて、世界に広がりはじめる傾向なのか？ 大衆の求めるものが、この物語のさし示すものと重なるとすれば、そこには或る怖《おそ》ろしい予感がよこたわっている。あえて私が不慣れな仕事に手を出したのは、それをこの手で確かめてみたいという、強い欲求からだった。大衆的な物語の真の作者は、常に民衆の集団的な無意識であって、作者はその反射鏡であるか、巫女《ミコ》であるにすぎないとする私の立場が正しければ、この一つの物語は現在のアメリカの大衆の心の底に確実に頭をもたげつつある確かな潜在的な願望のあらわれと見なすべきである。いま私の想像力を深いところでしきりにつついているのは、この物語が、わが国で果してどのように人々に受け入れられるか、それともどのように拒絶されるか、その一点にかかっている。それにしても私たち人間はなぜこのような〈群れ〉を低く見る物語を愛するのだろうか。私にはそれが一つの重苦しい謎として自分の心をしめつけてくるのを感ぜずにはいられない。食べることは決して軽侮すべきことではない。そのために働くこともである。それはより高いものへの思想を養う土台なのだし、本当の愛の出発点も異性間のそれを排除しては考えられないと私は思う。管理社会のメカニズムの中で圧殺されようとしている人々が、この物語にひとつの脱出の夢を托《たく》するという可能性もわからないではないが、しかし、それにしてもこの物語の底の底には、何か不可解なものがあるようだ。たとえば、天国に昇ったカモメは、なぜみんな純白に輝くのか？　原作者には意図的なものはないにちがいない。しかし潜在的に何かがある。それは小さな問題ではないはずだ。ポピュラーに読まれる物語を馬鹿《ばか》にすることはやさしい。しかし、私がいちばん嫌いなものも、その〈馬鹿にする〉という姿勢なのだ。私はこの巨大な読者をかち得た一つの物語を、強い抵抗を抱きながらも全力をあげて考え、そこからさまざまなものを発見したような気がする。

翻訳についてつけ加えておけば、これはいわば創作翻訳＝創訳ともいうべきもので、小さな部分は自由に日本語に移しかえる姿勢をとった。カットした単語もあり、原文にない表現をつけ加えた場所も多々ある。それはこの原書がきわめて平易な文章で書かれ、自由に入手できるという点から、原文に即して味わいたい読者は、直接それに触れることが可能だと思ったからである。

最後に、この物語を訳するに当って、有益なアドバイスをあたえて下さった畏《い》友《ゆう》Ａ・ホルバト氏、上智大学のジョセフ・ラヴ氏、千葉大学の国重純二氏、中川久美女史、その他の方々に心からお礼を申上げたいと思う。

（一九七四年六月）

この作品は
平成26年6月
新潮社より刊行された。

カバー写真　ラッセル・マンソン
装幀　新潮社装幀室

新潮文庫最新刊

須賀しのぶ著
神の棘（Ⅰ・Ⅱ）
苦悩しつつも修道士となった男。ナチス親衛隊に属し冷徹な殺戮者と化した男。旧友ふたりが火花を散らす。壮大な歴史オデッセイ。

吉川英治著
新・平家物語（十九）
雪の吉野山。一行は追捕の手を避け、さらに山深くへ。義経と別れた静は、捕えられて鎌倉に送られ、頼朝の前で舞を命ぜられる……。

神永学著
革命のリベリオン
—第Ⅱ部　叛逆の狼煙—
過去を抹殺し完全なる貴公子に変身したコウは、人型機動兵器《リベリオン》を駆る〝仮面の男〟として暗躍する。革命の開戦を告ぐ激動の第Ⅱ部。

水生大海著
君と過ごした嘘つきの秋
散乱する「骨」、落下事故——十代ゆえの鮮烈な危うさが織りなす事件の真相とは？　風見高校5人組が謎に挑む学園ミステリー。

柴門ふみ著
大人のための恋愛ドリル
年の差婚にうかれる中年男、痛い妄想に走るアラフィフ女子……恋愛ベタな大人に贈ります。小室哲哉氏との豪華対談を文庫限定収録。

高山なおみ著
今日もいち日、ぶじ日記
私ってこんなにも生きているんだな。人気料理家が、豊かにつづる「街の時間」と「山の時間」。流れる日々のかけがえなさを刻む日記。

新潮文庫最新刊

NHKスペシャル取材班編著

日本人はなぜ戦争へと向かったのか —外交・陸軍編—

肉声証言テープ等の新資料、国内外の研究成果をもとに、開戦へと向かった日本を徹底検証。列強の動きを読み違えた開戦前夜の真相。

NHKスペシャル取材班編著

日本人はなぜ戦争へと向かったのか —メディアと民衆・指導者編—

軍に利用され、民衆の〝熱狂〟を作り出したメディア、戦争回避を検討しつつ避けられなかったリーダーたちの迷走を徹底検証。

押川剛著

「子供を殺してください」という親たち

妄想、妄言、暴力……息子や娘がモンスター化した事例を分析することで育児や教育、そして対策を検討する衝撃のノンフィクション。

塚本勝巳著

大洋に一粒の卵を求めて —東大研究船、ウナギ一億年の謎に挑む—

直径わずか1・6ミリ。幻の卵を求め太平洋を大捜索！　ウナギ絶滅の危機に挑み「世紀の発見」をなしとげた研究者の希有なる航海。

増田俊也編

肉体の鎮魂歌《レクイエム》

人生の勝ち負けって、あるなら誰が決めるんだ——。地獄から這い上がる男たちを描く、涙の傑作スポーツノンフィクション十編。

大崎善生著

赦す人 —団鬼六伝—

夜逃げ、破産、妻の不貞、闘病……。栄光と転落を繰り返し、無限の優しさと赦しで周囲を包んだ「緊縛の文豪」の波瀾万丈な一代記。

かもめのジョナサン【完成版】

新潮文庫　ハ－9－1

Published 2015 in Japan
by Shinchosha Company

平成二十七年七月一日発行

訳者　五木《いつき》寛之《ひろゆき》
発行者　佐藤隆信
発行所　株式会社新潮社

郵便番号　一六二－八七一一
東京都新宿区矢来町七一
電話　編集部(〇三)三二六六－五四四〇
読者係(〇三)三二六六－五一一一
http://www.shinchosha.co.jp

価格はカバーに表示してあります。

乱丁・落丁本は、ご面倒ですが小社読者係宛ご送付ください。送料小社負担にてお取替えいたします。

印刷・錦明印刷株式会社　製本・錦明印刷株式会社

ISBN978-4-10-215907-1 C0197